Trahis par l'État, sauvés par les hommes

MA PROMESSE

Jacques Besnainou

Remerciements

Ce livre n'aurait pu voir le jour sans l'aide de toute ma famille et de ma belle-famille. Chacun m'a ouvert sa mémoire et son cœur pour apporter sa pierre à l'édifice. Je voudrais remercier chacun d'entre eux et plus particulièrement ma grand-tante Zelma qui m'a raconté avec force détails le destin si tragique de la famille Holzer-Englander. Un grand merci également à Daniel et Michel, les oncles de mon épouse ainsi que son père pour leur récit détaillé qui m'a permis de retracer le parcours de la famille Silberman, et de présenter dans cet ouvrage des documents exceptionnels comme les cartes envoyées par Jeanne depuis les camps d'internement français. Je voudrais enfin remercier toutes celles et ceux qui m'ont aidé dans la révision du texte, plus particulièrement Véronique Warren Guestault, Jean-Charles Rochet et mon ancien maître de CM2, Marius Mouette. Toutes leurs suggestions ont été les bienvenues et je me suis efforcé de les intégrer en bonne place.

Également disponible en texte anglais « The Promise »

COMEVER - DE RAMEAU 11 rue du Donjon F-76000 ROUEN (France)
www.derameau.com contact : derameau@comever.com
Septembre 2014 ISBN 979-10-91044-12-7

A Isabelle, David,
Sarah et Judith

Prologue

Ce livre est le fruit d'une vie ou plutôt de plusieurs vies. Il provient d'une promesse que j'ai faite à ma mère Renée Englander-Besnainou, en 1977. Je n'avais que treize ans et elle allait s'éteindre prématurément d'un cancer.

Elle m'avait fait venir dans sa chambre à coucher au fond de notre appartement, place de la Nation à Paris. J'avais compris depuis quelques mois que son état empirait. Elle restait de plus en plus longtemps allongée, avait perdu beaucoup de poids et son teint devenait de plus en plus blafard. J'étais surtout tombé par hasard sur le brouillon d'une lettre qu'elle voulait m'écrire et dans laquelle elle m'apprenait que ses jours étaient comptés. Ce soir-là, elle me demanda de lui faire deux promesses. La première était de continuer à bien travailler à l'école car le savoir est le seul bien que tout Juif peut transporter n'importe où ; la seconde serait d'écrire un livre sur ce que sa famille avait vécu pendant la guerre. Je compris d'emblée la première promesse que j'exécutais depuis plusieurs mois avec zèle et dévotion, en essayant de ne lui apporter que des copies avec la note maximale de vingt sur vingt à signer. La deuxième promesse, par contre, m'apparut très difficile à réaliser. Je ne comprenais pas ce qui avait bien pu se passer pendant la guerre et pourquoi ma mère tenait tellement à ce que cela fût raconté. J'ai même appris plus tard que mon père avait été scandalisé par une telle demande, se lamentant qu'une telle charge me soit transmise.

Puis le temps a passé... J'ai laissé pendant une dizaine d'années cette promesse en attente, me concentrant sur mes études et la fondation d'une famille grâce à la merveilleuse jeune fille, Isabelle, que j'avais rencontrée en classe préparatoire.

Ce n'est que vers la trentaine, alors que j'entamais une nouvelle vie professionnelle aux États-Unis, que je commençais à m'intéresser à la période de l'occupation. Comme beaucoup, j'avais entendu parler des travaux de l'Américain Robert Paxton qui fut l'un des premiers à révéler la collaboration de Vichy. Je découvrais à travers plusieurs livres l'horreur de la rafle du Veld d'Hiv et l'effroyable extermination de plus de 4 000 enfants juifs avec l'aide de la police française. Puis en 1995, après la reconnaissance par le Président Jacques Chirac de la participation active de l'État français à la déportation des Juifs, je fus contacté par mon oncle Henri qui me montra le dossier qu'il établissait pour obtenir réparation pour la déportation de son père et la spoliation de ses biens.

Les langues se déliaient.

Ma belle-mère, Gisèle, commença aussi à parler de son enfance de petite fille « cachée ». Son frère Michel lui aussi constituait un dossier de demande de réparation pour leur souffrance et la déportation de leur grand-mère. Je décidai qu'il était temps pour moi de recueillir des informations. J'ouvris un petit cahier rouge et méthodiquement, je me mis à partir de 1998 à interviewer tous les membres de ma famille et de celle de mon épouse, témoins de cette période. Je découvris alors une série d'histoires incroyables de peurs, caches, brutalités, chances, désespoirs qui me frappèrent par leurs similitudes.

La demande de ma mère prenait enfin sens. Elle avait vécu à un âge tendre, entre quatre et huit ans, une aventure effroyable, inexplicable, indicible provoquée par l'aveuglement de gouvernants devenu fous. Elle n'avait été sauvée que par le miracle de l'intervention de gens simples, courageux, qui n'écoutant que leur conscience et souvent au péril de leur vie, avaient bravé l'ordre établi. La France comptait en 1940 environ 340 000 Juifs*. L'attitude exemplaire et désintéressée de ces Français a permis de sauver les trois quarts d'entre eux.

Ce livre veut leur rendre hommage.

** Selon Wikipedia et la revue de l'Association des Professeurs d'Histoire et de Géographie de l'Enseignement Public (APHG), on comptait en 1939 environ 300 000 Juifs en France, dont 200 000 à Paris. Ces chiffres augmenteront encore après l'exode des Juifs belges et hollandais puis de l'expulsion organisée par le 3e Reich des Juifs du Pays de Bade et du Palatinat. Au total en 1940 ont comptera près de 340 000 Juifs tandis que débutait le mouvement de la zone occupée vers la zone libre.*

Je suis sûr que ma mère voulait écrire cette page d'histoire mais la maladie qui l'emportait trop jeune à quarante et un ans l'en avait empêchée. C'était désormais sur moi qu'elle comptait pour mener à bien cette tâche.

J'ai cru pendant longtemps que je ne trouverais jamais le temps d'écrire, ou qu'il me faudrait attendre la retraite, tant mes activités professionnelles m'éloignaient de mon engagement de jeune homme.

Et puis, la vie, toujours pleine de surprises, me donna une « année sabbatique ». Une année de paix, de recul et de détachement... Je décidai alors que j'accomplirais cette promesse. Je me mis au travail, au début à partir des documents originaux communiqués par les membres de ma famille, passionnés par ma recherche et mon engagement. En parallèle, je "dévorais" littéralement tous les ouvrages consacrés à cette période, que je mettais en perspective grâce aux nombreux contenus que m'apportait Internet.

Toutes les situations, les lieux, la plupart des dates et des noms, parfois mis en scène pour donner du relief au récit sont totalement véridiques. Rien n'a été ajouté.

J'espère que ces quelques pages, au-delà de la promesse faite à ma mère, serviront à la sensibilisation des jeunes générations qui ne sont plus désormais en contact avec des témoins de l'époque. Un tel crime commandité par des États supposés « éclairés » ne doit jamais plus se reproduire.

J'assume entièrement les erreurs et les omissions qui s'y seraient glissées.

J'ai hâte de vous faire partager cette histoire...

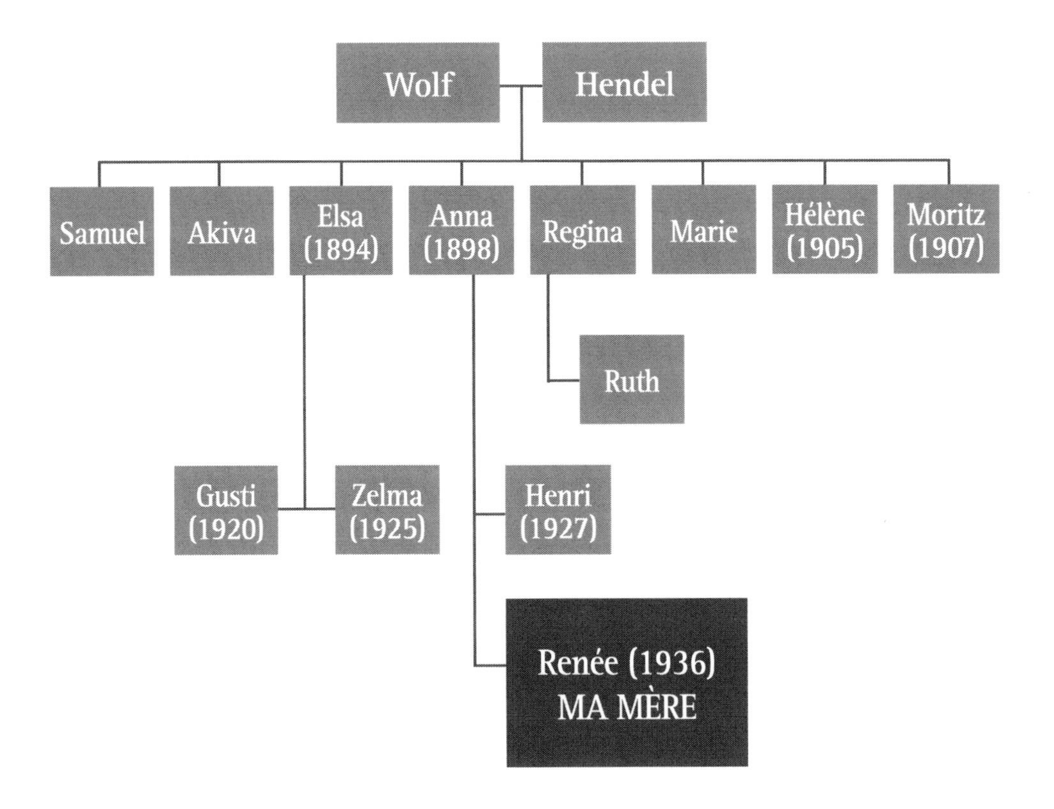
Wolf
Hendel
Samuel
Akiva
Elsa (1894)
Anna (1898)
Regina
Marie
Hélène (1905)
Moritz (1907)
Ruth
Gusti (1920)
Zelma (1925)
Henri (1927)
Renée (1936)
MA MÈRE

Première partie
La famille Holzer-Englander

La station thermale de Krynica en 1890.

Chapitre 1
1898 – Naissance à Krynica - *Anna*

La montagne avait finalement reverdi, après les longs mois d'hiver qui avaient enveloppé le petit village de Krynica de sa robe blanche. Les sources thermales qui faisaient la renommée de cette localité du sud de la Galicie, à l'extrémité orientale de la chaîne alpine, s'étaient tues. Mais depuis le mois de mars la lumière revenait, la neige se transformait en boue délavée, les fleurs au bleu argenté pointaient leur nez, tandis que renaissaient capillaires et doradilles au pied des sycomores. Partout la vie recommençait.

Le village se préparait comme chaque été à ouvrir la saison des cures ; car malgré son altitude et ses pentes enneigées, Krynica, en cette fin de printemps 1898, n'était pas encore la fameuse station de ski polonaise qu'elle est devenue aujourd'hui. Mais elle devait déjà sa renommée à ses sources thermales. La bourgeoisie venait chaque été de toute la région pour s'y "ressourcer" - au sens propre - et les hôtels ou maisons d'hôtes, désertés pendant les frimas, ne désemplissaient pas de juin à septembre. Ses eaux chaudes et soufrées ainsi que son air pur et réparateur étaient un bonheur pour ces bourgeois qui parcouraient l'Europe à faire fructifier leur commerce à Varsovie ou Lodz, où cette nouvelle bourgeoisie était souvent d'origine juive. Elle avait prospéré durant le XIXe siècle sous la clémence des autorités austro-hongroises dans les métiers du commerce des vêtements, cuirs, bijoux, horlogerie. Ces nouveaux riches affectionnaient particulièrement la Galicie en général et Krynica en particulier, car on pouvait facilement y trouver des auberges ou hôtels tenus par des familles juives pratiquantes. Il y était donc facile de continuer à observer une stricte pratique de la *cacheroute**,

* *La cacheroute ou Kashrut est la règle pour la préparation et la consommation des aliments. Les aliments conformes à ce code alimentaire sont dit "casher", c'est-à-dire convenables.*

même si l'objet principal du séjour était la cure et les bains quotidiens dans les sources chaudes et soufrées de Krynica.

Deux de ces hôtels étaient tenus par la famille Holzer. Wolf, le père, avait monté cette affaire une dizaine d'années auparavant, et après quelques années de travail acharné où il avait dû emprunter pour acheter sa première maison d'hôtes, les affaires lui avaient souri. La cuisine était tenue d'une main de fer par son épouse, Hendel et était fort bonne. Elle avait de plus un goût assuré pour la décoration et chaque chambre, bien que modeste, était meublée et décorée avec le plus grand soin.

Mais en cette fin d'après-midi du 4 juin 1898, Hendel n'était ni à la cuisine pour vérifier l'arrivage des légumes frais, ni au restaurant pour s'assurer que les tables étaient bien mises, ni au salon où souvent elle aimait écouter les curistes détendus par une journée de soins intensifs et de bains prolongés. Elle était allongée dans ses appartements du premier étage, en sueur, retenant son souffle et ses cris. Elle allait mettre au monde son quatrième enfant. Jusque là, sa bonne nature et la fortune divine lui avaient déjà apporté deux garçons vigoureux et une magnifique petite fille. Mais, aujourd'hui elle était inquiète, il lui semblait que tout ne se déroulait pas normalement. Elle le sentait au fond de ses entrailles ; le bébé bougeait mais ne semblait pas progresser. Le Docteur Hollander, accouru à son chevet dès qu'elle avait perdu les eaux, ainsi que la sage-femme, ne souriait plus et se concentrait sur son bas ventre. Wolf faisait les cent pas à l'entrée de la chambre à coucher. Enfin, entre deux contractions, le Dr Hollander s'écria : « *Ça y est, je vois les fesses du bébé !*» « *Mais pourquoi les fesses ?*», se demanda Hendel, entre deux gémissements de douleur. « *N'est-ce pas la tête que l'on doit voir en premier ? C'est donc cela, le bébé ne se présente pas dans le bon sens* ». Malgré la peur qui la tenaillait, elle serra très fort la main de la sage-femme, et poussa de toutes ses forces. Le miracle de la vie s'opéra.

Le docteur saisit les fesses puis les épaules et enfin la tête du bébé qui apparut se tortillant dans tous les sens tout bleu et gluant. Une grosse tape sur les fesses, et il devint rouge poussant son premier cri strident. « *C'est une fille !* » cria la sage femme. Hendel n'entendait plus, la douleur générée par cette extraction l'avait fait défaillir. Mais Wolf, qui avait entendu le cri de la sage-femme, était déjà auprès de sa nouvelle fille, les larmes aux yeux, comptant mécaniquement le nombre de ses doigts de mains et de pieds comme l'ont fait depuis des générations ces pères qui n'en finiront jamais d'être anxieux... Wolf la contemplait avec émerveillement. Qu'elle était belle, malgré ses grimaces, ses petits cris, le liquide visqueux et sanguinolent qui la recouvrait ! Il en avait presque oublié Hendel auprès de qui le docteur s'affairait pour lui faire reprendre ses esprits.

Enfin Hendel rouvrit les yeux et put pour la première fois apercevoir sa fille dans les bras de Wolf. Ce dernier s'approcha tendrement de sa femme et posa dans ses bras, le bébé protégé d'un beau linge blanc. La petite fille ne criait plus, elle gémissait doucement et ses yeux balayaient l'espace à la recherche de l'œil maternel qu'elle ne distinguait pas encore mais pressentait de tout son être. Wolf et Hendel étaient émus. Ce n'était pourtant pas la première fois, mais ce miracle originel de la vie les laissait sans voix. Sans se concerter ou à peine, ils s'écrièrent : Anna ! C'est ainsi qu'ils avaient décidé de prénommer leur nouvelle fille.

Leur bonheur était complet. Wolf se sentait à l'aise à Krynica. La communauté juive, bien que ne représentant environ que quinze pour cent des deux mille cinq cents habitants de la station thermale, était bien intégrée et respectée. Wolf avait travaillé dur avec son épouse pour développer leurs deux maisons d'hôtes et ils s'étaient fortement endettés auprès de Chaïm Cohen, leur cousin à Varsovie. Mais les affaires marchaient bien maintenant, et Krynica était le village idéal pour élever des enfants en bas âge. L'air y était pur et ils avaient de la place dans l'appartement qu'ils s'étaient aménagé au premier étage d'une des maisons d'hôtes.

Le soir de ce 4 juin, alors que la lumière languissait encore à l'heure du souper, la joie emplissait le logis des Holzer. Hendel allait mieux, elle était attablée, Anna dans les bras, entourée de ses trois autres enfants, Samuel, Akiva et Elsa. Le rabbin ainsi que les principaux chefs de la communauté étaient là aussi pour célébrer avec Wolf et Hendel la naissance d'Anna.

Pour eux aussi, Krynica était un havre de paix. Pas question de pogroms ici : les autorités de la région étaient trop heureuses de collecter les impôts locaux récoltés par l'afflux de touristes pendant la période estivale. Elles savaient que le développement touristique de cette petite bourgade au sud de la Galicie devait beaucoup à ces touristes juifs aisés qui venaient des grandes villes pour se reposer. Pas question donc de les effrayer, et la police locale s'efforçait de contenir tout acte ou propos qui aurait pu choquer ces touristes convoités.

La tablée ce soir-là était chaleureuse et joyeuse. Le rabbin proposa plusieurs toasts à la santé des Holzer et de la petite Anna qui se tortillait dans les bras de sa maman. Au crépuscule du XIXe siècle, la Galicie du sud était un bel endroit pour les Juifs. Ils envisageaient l'avenir avec optimisme.

Ils étaient loin de se douter que le XXe siècle allait abattre sur eux l'enfer, que des enfants comme la petite Anna allaient le traverser, et que bien peu d'entre eux en réchapperaient.

La famille Holzer dans les années vingt avec Regina, Marie et Hélène sur le devant et derrière, Wolf Holzer (moustache blanche) et sa femme Hendel à ses cotés.

Chapitre 2
1925 - Seder à Mannheim - *Wolf et Hendel*

Comme les rues sont encore encombrées en cette fin d'après-midi ! Moritz et son ami Eran ont bien du mal à se frayer un chemin à travers la foule qui se presse et se bouscule. Le quartier juif de Mannheim est en ébullition. Ce soir, c'est le premier jour de Pessah, et depuis deux jours, poissonniers, boulangers et bouchers sont véritablement pris d'assaut. Tout le monde s'agite, car il s'agit d'être prêt pour cette soirée si symbolique. Moritz, à l'aube de ses vingt ans est le cadet de la famille Holzer.

Après Anna, étaient nés Regina, Marie, Hélène et enfin Moritz. Après la dixième grossesse, en 1907, Hendel et Wolf avaient décidé qu'ils n'iraient pas plus loin et que l'Eternel les avait déjà gratifiés de huit beaux enfants toujours vivants (trois garçons et cinq filles). Les affaires pour Wolf avaient continué à prospérer à Krynica tant le tourisme de cure devenait un vrai phénomène. Cela dura paisiblement, jusqu'à l'approche de tensions nouvelles qui préfiguraient la Première Guerre mondiale.
Wolf avait alors compris que la Galicie, située au nord-est de l'Empire austro-hongrois, serait l'objet de toutes les convoitises et surtout de la rapacité des Russes. Wolf, comme beaucoup de ses coreligionnaires, considérait les Russes comme de sauvages antisémites. On rapportait en effet que les troupes du Tsar se livraient fréquemment à des pogroms dans les villages comptant une importante population juive. Leur grande "spécialité" étant le viol et la traite des jeunes femmes. A l'évidence, Wolf ne voulait prendre aucun risque avec ses cinq filles. Tandis que le ciel semblait s'assombrir, il entreprit assez tôt de vendre ses deux hôtels, pour rechercher avec Hendel, d'autres horizons plus pacifiques où élever paisiblement leurs enfants.

Pour l'un comme pour l'autre, il ne faisait aucun doute que la meilleure destination était l'Allemagne ! Ce pays pratiquait depuis le début du XIXe siècle une politique d'accueil et d'intégration des Juifs tout à fait remarquable. A part la fonction publique, toutes les professions étaient accessibles en particulier après 1871. Wolf pensait que l'Allemagne gagnerait cette guerre, même si, malheureusement le conflit s'annonçait long. Où aller ? C'est Hendel, dans sa grande sagesse, qui proposa la solution. Pourquoi ne pas rejoindre Akiva, leur deuxième fils, qui était devenu membre d'une Yeshiva à Mannheim pour y parfaire ses connaissances du Talmud ? Hendel lui avait rendu visite en 1908 et avait trouvé cette ville à taille humaine, à la confluence du Rhin et de la rivière Neckar, tout à fait charmante. Même si les deux localités étaient distantes d'environ 1200 km, on y parlait l'allemand et le yiddish comme à Krynica.

Tout d'abord, il était très facile de s'y repérer car c'était l'une des seules villes d'Europe à être organisée suivant une série de rues parallèles qui se coupent à angle droit. La ville était divisée en une série de carrés de tailles similaires et on s'y retrouvait comme sur un jeu d'échec, chaque bloc étant repéré par une lettre et un chiffre. Ainsi la Yeshiva d'Akiva se situait dans le carré F2. Les Allemands avaient d'ailleurs surnommé Mannheim le « *Quadratestadt* », littéralement, la ville des carrés. Ensuite, la communauté juive y était nombreuse, prospère et respectée. Un des membres les plus influents du conseil municipal était un certain Julius Dreyfuss*, personnalité très importante de la communauté. Certains Juifs étaient devenus des industriels puissants et prospères à l'instar de Richard Level, le fondateur de la *Rheinische Gummi und Zelluloidfabrik*. Ce dernier était le président de la Chambre de commerce de Mannheim, démontrant ainsi l'intégration parfaite de la communauté juive de Mannheim.

Hendel avait donc convaincu Wolf de considérer la possibilité de s'installer dans cette ville du sud-ouest de l'Allemagne, proche de la France, mettant ainsi leurs filles à l'abri de la menace russe. Wolf fit plusieurs voyages à Mannheim. Il finit par y trouver ce qu'il cherchait :

* *Jews and the German State – The Political History of a Minority – 1848-1933, par Peter G.J. Pulzer*

un immeuble à racheter dans le carré H7, au numéro 13. C'était un très bel immeuble du XVIIIe siècle, haut de quatre étages, et composé de trois bâtisses disposées en U autour d'une cour intérieure à laquelle on accédait de la rue en passant par une magnifique porte cochère en bois sculpté. Les murs étaient élégamment décorés et on pouvait distinguer de fines fleurs en bas reliefs sculptés à la hauteur du deuxième étage. Les plafonds étaient hauts, les fenêtres claires, les escaliers en excellent état. A l'évidence, c'était l'investissement idéal ! Une vingtaine d'appartements à louer, et ils pourraient en plus occuper le deuxième étage de la bâtisse principale, au fond de la cour, à l'abri du bruit de la ville.

Il avait fallu négocier durement la vente des deux hôtels à des acheteurs qui tentèrent de profiter (qui aurait fait autrement...) du chaos engendré par le début de la Première Guerre mondiale. Au final, ce ne fut pas une si mauvaise affaire. La clientèle de Wolf était nombreuse ce qui était pour l'acquéreur la garantie d'un revenu important, pour peu que celui-ci continue à offrir un service analogue à celui des Holzer. Ensuite, il avait fallu organiser le déménagement et l'installation à Mannheim. Cela n'avait pas été facile, spécialement pour Wolf qui savait que ce bouleversement mettrait sûrement un point final à ses activités, lui qui aimait tant le contact avec les clients. Mais il n'avait pas le choix, les Russes se rapprochaient de la Galicie. Il ne pouvait prendre aucun risque. Et puis il pourrait se consacrer à plein temps à sa principale passion, la lecture et l'étude de la Tora, complétée par l'étude des grands textes philosophiques, en particulier les écrits de Kant et Spinoza.

La famille Holzer s'était donc enracinée en Allemagne à partir de 1915 dans sa nouvelle ville adoptive de Mannheim. Les filles s'y étaient tout de suite trouvées heureuses. Il n'y avait aucune barrière de langue, puisqu'elles avaient appris l'allemand dès le plus jeune âge. C'était une grande ville et pour des adolescentes, c'était un bien meilleur environnement que le petit village de Krynica, où l'on s'ennuyait à mourir pendant les interminables soirées d'un hiver toujours glacial. Ici en ville, on pouvait sortir et courir jusqu'au *Planken*, la rue principale de Mannheim, s'asseoir à la terrasse des cafés et écouter un groupe de musiciens jouer en plein air.

Quand le chaos des armes s'était enfin tu à la fin de 1918, la vie avait repris son cours en Allemagne. L'économie, bien qu'ébranlée par ces quatre années abominables de conflit armé et étranglée par l'humiliante défaite, revenait ça et là à un semblant de normalité. Les appartements dans l'immeuble se louaient maintenant plus facilement, assurant un revenu acceptable pour une époque aussi difficile. Ainsi Wolf et Hendel pouvaient se consacrer à l'éducation de leurs enfants et s'occuper convenablement du mariage de leurs filles qui bien sûr avaient grandi.

C'est Elsa, la sœur aînée d'Anna, qui trouva mari la première, présentant à ses parents le jeune Isaac Grün, issu d'une bonne famille de commerçants de Mannheim. Après une cérémonie de mariage célébrée en grande pompe à la synagogue principale de Mannheim, le miracle de la naissance se reproduisit et deux adorables petites filles vinrent au monde, Gusti en 1920 et Zelma en 1925, décuplant le bonheur de leurs grands-parents. Puis ce fut au tour d'Anna de se mettre en quête d'un mari. Hendel était d'ailleurs inquiète car Anna, bien que jolie, avait déjà atteint vingt-cinq ans sans lui avoir présenté un garçon.

Ce n'était pas qu'elle se désintéressait des hommes, mais la petite Anna - car elle était de petite taille - avait un caractère bien trempé. Dotée d'une intelligence intuitive assez surprenante, elle ne se laissait jamais impressionner. Elle-même avait une haute idée du mariage : son mari devait être un homme de grande qualité et surtout travailleur. La plupart des jeunes hommes de Mannheim, ceux qu'elle rencontrait à la synagogue ou dans les cafés de la ville ne l'intéressaient guère. Issus de la bourgeoisie, ils étaient souvent imbus d'eux-mêmes, oisifs, et plus enclins à s'amuser et s'enivrer le soir qu'à se consacrer sérieusement à l'apprentissage d'un métier.

Moritz et Eran, à bout de souffle, atteignent finalement la porte cochère ouvrant sur l'immeuble des Holzer. Hendel les apercevant depuis la fenêtre de sa cuisine, leur crie : « *Ah te voilà, Moritz ! Ton père te cherche partout, dépêche-toi, nous allons commencer la prière dans quelques minutes.* » Moritz et Eran ont à peine le temps de reprendre leur respiration quand ils s'introduisent dans la grande salle à manger où toute la famille est maintenant réunie. Wolf, le patriarche est déjà assis en bout de table, affairé à rassembler les livres de la *Haggadah** qui lui permettront de guider la prière, vérifiant méticuleusement que tous les ingrédients sont disposés correctement sur la table ; les galettes de pain azyme bien sûr (dont une soigneusement cachée sous un pan de la nappe afin que les plus petits partent à sa recherche) ; mais surtout le plateau principal contenant les herbes amères *maror* symbolisant l'amertume des années d'esclavage en Egypte, l'œuf dur symbolisant la vie, l'épaule d'agneau symbolisant la force de l'Eternel qui a libéré les Hébreux de l'esclavage de Pharaon, le *harrosset*, cette mixture étrange de fruits et de noix, qui symbolise la matière première du mortier pour les briques fabriquées par les Hébreux asservis par Pharaon.

* *Livret de prière lu les deux premiers soirs de la Pâque juive qui raconte le miracle de la sortie d'Égypte sous la conduite de Moise.*

Dès 1933, les autorités multiplient les défilés militaires,
comme ici à Nuremberg avec cette démonstration de la Wehrmacht.

Chapitre 3
1933 – Marche effrayante à Mannheim – *Zelma*

Zelma, la fille d'Elsa a bien grandi maintenant. C'est une petite fille de huit ans vive, intelligente et pleine d'énergie. Ce qu'elle va vivre en cette belle journée de printemps restera gravé dans sa mémoire comme un jour d'épouvante, le jour où sa vie a basculé, le jour où son innocence s'est perdue.

Il fait grand soleil en cette belle journée d'avril et Zelma court, légère et joyeuse, insouciante, au côté de sa mère pour aller voir la parade annoncée au milieu de la ville. Elles arrivent au *Planken*, la grande artère commerçante de Mannheim, pour admirer les soldats qui vont défiler et, à leur vue, ils comprennent que leur vie va basculer.
Comme le raconte Zelma elle-même dans ses mémoires « *Soudain, nous entendons le claquement des bottes sur le pavé. Nous entendons aussi un chant, un chant d'hommes, puissant et profond. Plus ils s'approchent, plus un sentiment d'oppression m'assaillit.* » Quelques instant plus tard, alors qu'elle discerne les paroles de la chanson, Zelma, du haut de ses 8 ans mesure le sens de la scène : « *Leur chanson est si effrayante. Ils chantent des paroles comme « Quand le sang juif jaillit du couteau...» Ma terreur est si grande, je suis incapable d'entendre la suite et je ne m'en souviens pas non plus. Je regarde ma mère dont le visage aussi a blêmi. Elle a des larmes plein les yeux, mais a peur de les montrer, peur que les gens alentours voient ce qu'elle ressent... J'ai le sentiment qu'il faut quitter cet endroit, partir en courant le plus vite possible, partir, courir, courir sans savoir...*»
Zelma a peur, elle est terrifiée et se blottit dans les jupons de sa mère, Toutes deux voudraient bien s'échapper, mais elles sont bloquées par la foule qui applaudit, rugit avec enthousiasme, tend le bras droit avec fierté. Zelma ne comprend plus comment ses voisins, si accueillants et si gentils, peuvent acclamer ces barbares qui hurlent à la mort des Juifs ?

Les gens autour d'elles acclament les hommes qui paradent. Comme le rapporte Zelma : « *Il y a tant de couleurs, de drapeaux et d'enthousiasme ! Les bottes claquent bruyamment sur le pavé, les uniformes sont noirs. Les SS**, *qui défilent, répandent une atmosphère de force et de pouvoir.* »

Enfin, c'est la délivrance. La troupe effrayante est passée et les badauds se dispersent. Elsa saisit fermement la main de Zelma et revient vers la maison de la rue H7 le plus vite possible, en rasant les murs. En un instant, tout a changé, cette ville cosmopolite, si accueillante, chaleureuse est devenue grise, austère et remplie d'êtres haineux et mauvais. Zelma tremble de tout son corps. Elle a eu la sensation terrible d'être piétinée par cette horde sauvage qui défilait si bruyamment. Leur chant lourd et grave raisonne encore sans fin dans sa tête.

Finalement elles arrivent chez elles et vont directement à l'appartement de grand-père Wolf. Celui-ci, comme à son habitude au milieu de la matinée, est plongé dans ses lectures philosophiques. Elsa et surtout Zelma lui racontent ce qu'elles ont vu. Il réfléchit en silence. Il semble désormais trop tard pour garder secret ce qu'il pressent depuis des semaines. L'expression terrible de l'antisémitisme et sa légitimisation par la rue, semblaient désormais assumées par une majorité du peuple allemand. Quelques instants plus tard, il se lève et dit : « *Nous allons traverser une période difficile, nous, le judaïsme et aussi toute une partie du monde. Je crois que cela pourra mener à une guerre mondiale.* » Il a compris la situation car il connaît le contenu du livre d'Hitler *Mein Kampf* . Il pose ses mains sur la tête d'Elsa et de Zelma et les bénit. « *Ça va aller. Vous devez être courageuses !* »

Il leur raconte ensuite l'histoire du rabbin Jochanan Ben Sakai : « *Lorsque, sous le règne de Titus, les Romains ont détruit le deuxième temple et ont incendié Jérusalem, le rabbin a rassemblé ses élèves autour de lui. Il voulait que ceux-ci le missent dans un cercueil, le fassent ainsi sortir de la ville de Jérusalem et le portassent jusqu'à Javne afin*

** Cette mention figure dans le texte de Zelma, mais il est probable qu'il s'agisse plutôt de membres de la SA, vêtus d'uniformes bruns, et qui furent particulièrement actifs à Mannheim. Le 1er mars 1933, ils y feront fermer les magasins juifs et procèderont à un autodafé le 19 mai 1933, cérémonie organisée dans une trentaine de villes allemandes.*

qu'il pût y fonder une nouvelle Yeshivah. Les élèves lui dirent : « Ah, de toute façon, tout est déjà perdu ! » Mais le rabbin répliqua : *« Non ! Aussi longtemps qu'un peuple perpétue son apprentissage et sa culture, même s'il y a une diaspora, alors il peut continuer à vivre. »*

Le soir, toute la famille est rassemblée. C'est grand-père Wolf qui parle le premier : « *Mes enfants, tout semble indiquer que nous risquons de vivre des moments très difficiles. Voilà des semaines que je devine la montée de ces comportements terribles. J'espérais tout à la fois qu'ils s'estomperaient et je voulais vous en protéger... Personnellement, je comprendrais si certains d'entre vous souhaitent quitter l'Allemagne devenue folle. Pour ma part, je suis trop vieux, j'ai déjà quitté ma Galicie natale il y a plus de quinze ans, ma vie est ici, je ne veux pas errer, je ne bougerai plus.* » Autour de la table, les visages sont graves, les expressions tristes, comme abattues.

Alors chaque homme de la famille prend la parole, chacun à son tour. Akiva explique qu'il a terminé son enseignement à la Yeshiva, il souhaite maintenant retourner en Pologne retrouver son frère Samuel qui a une petite affaire prospère à Krakow. « *Là-bas, ils sont un peu antisémites mais ne sont pas devenus fous comme les nazis.* »

Isaac Grün, le mari d'Elsa, préfère quant à lui rester à Mannheim avec sa famille. Il est né et a grandi dans cette ville, il pense que cette folie sera passagère et puis « *les Juifs sont bien établis ici, on les respecte, que peut-il bien leur arriver ?* » Jacob Rappoport, le mari de Marie, ne sait pas s'ils doivent rester mais il a entendu parler de la Palestine, qui pourrait devenir un nouvel état pour les Juifs. Il a encore lu récemment un article à ce sujet. Pourquoi ne pas essayer de s'y installer ?

C'est ensuite au tour de Moritz, le cadet de la fratrie Holzer de s'exprimer. Lui n'a que vingt-six ans, et peu de choses le retiennent à Mannheim. Il est en apprentissage depuis sept ans dans les ateliers Weiss spécialisés dans la tapisserie. Il n'a toujours pas trouvé de fiancée et cette ville moyenne d'Allemagne l'ennuie. Il rêve d'aventure, loin, au-delà de l'océan Atlantique. C'est l'occasion rêvée, et dès qu'il aura réuni une somme suffisante, c'est décidé, il achètera un billet pour l'Amérique.

C'est enfin au tour de Jacob Englander, le mari d'Anna de s'exprimer. Jacob Englander et Anna sont mariés depuis 1926. Ils se sont rencontrés un peu par hasard sur la grande place de Mannheim. Jacob a tout de suite plu à Anna. C'est un grand gaillard né en 1893, en Galicie comme elle. Il est horloger « certifié », car dans la famille Englander, on est horloger de père en fils. En 1916, à vingt-trois ans, sa vie bascule : il est enrôlé de force dans l'armée autrichienne et expédié sur le front russe. Il en revient profondément marqué par les horreurs de la guerre, un profond dégoût des bolchéviques et une méfiance des armes et des militaires. Il s'installe à Francfort avec son père et c'est ainsi qu'au cours d'un déplacement professionnel à Mannheim, il rencontre Anna. Malgré leur différence de taille notoire : Anna est une petite bonne femme d'un mètre cinquante, Jacob toise ses concitoyens du haut de son mètre quatre vingt dix, ils se sont immédiatement appréciés. Elle aime son côté sérieux et sa maturité, il adore sa vitalité et sa force de caractère. Quel bonheur pour Hendel que sa fille ait enfin trouvé un mari ! Un bonheur couronné par la naissance du petit Henri en 1927.

Jacob n'a pas confiance dans la capacité des Juifs de résister à la folie nazie. Il préfère partir et il pense lui aller à Paris, où il espère ouvrir une petite boutique de réparation de montres. Il paraît que le métier d'horloger est très prisé là-bas, et puis « *la France a gagné la grande guerre, les Nazis n'oseront jamais se battre contre elle à nouveau* ». Henri, son fils est encore petit à six ans, et il a le bon âge pour changer de pays et apprendre une nouvelle langue.

Le grand-père Wolf a écouté tranquillement ce tour de table. « *Mes enfants, quelle que soit votre décision, je vous donne ma bénédiction. Peu importe que nous soyons séparés pendant quelques mois, quelques années, je sais que nous nous retrouverons bientôt* ». Les paroles du rabbin Ben Sakai résonnent sans fin dans sa tête : « *Aussi longtemps qu'un peuple perpétue son apprentissage et sa culture, même s'il y a une diaspora, alors il peut continuer à vivre.* » Ce soir-là, le souper s'achève dans le plus grand silence. La journée a été terrible et la famille Holzer, si unie, sait pourtant qu'elle va devoir se séparer. Se disperser.

C'est dans cette ville paisible de Mannheim que les Holzer s'étaient installés en 1915. Sur ce boulevard animé, le fameux « Planken » photographié ici en 1935, Zelma enfant expérimentera pour la première fois la haine et l'intolérance.

A droite, Henri pose avec sa petite sœur Renée, la mère de l'auteur.

Ci-dessous, Renée bébé dans les bras de sa maman Anna.

Chapitre 4
Renaissance à Paris - Juillet 1936 - *Jacob*

La journée s'annonce magnifique. Le ciel est bleu et un air de fête est descendu sur la ville éternelle. Les drapeaux tricolores flottent au vent et décorent l'une des plus majestueuses places du monde : l'Esplanade des Invalides. C'est là que Jacob a décidé d'emmener sa petite famille pour acclamer les soldats de la République. Vive la France, terre des droits de l'homme, assurément le meilleur rempart contre la folie nazie.

Jacob est heureux ! Il a fait le bon choix en venant dans la capitale de la France il y a trois ans. Oh, cela n'a pas été aussi facile qu'il l'aurait pensé ! La France n'est pas si accueillante, il a fallu se débrouiller. Jacob, Anna et Henri ont tout d'abord vécu dans un vieil hôtel décrépi du troisième arrondissement. A trois dans une petite chambre qui sentait le moisi, glaciale en hiver, ça vous transperçait jusqu'aux os. Au début, Jacob n'avait pas de papiers et il avait été très difficile de trouver un travail pendant les premières semaines. Mais, comme il l'avait pressenti, son métier d'horloger était un trésor.

Jacob rendit d'abord visite à toutes les boutiques du quartier juif. Finalement, il trouva une place dans la boutique de Moshe Ziegler où ses doigts de magicien firent merveille. Il pouvait réparer n'importe quelle montre, n'importe quelle horloge dans un temps record. Niché sur son tabouret au fond de la boutique, une loupe vissée sur l'œil, armé de mini-tournevis, il savait démonter n'importe quel mécanisme, même les plus complexes. Méthodiquement, il étalait sur un feutre placé en face de lui en rang d'oignons toutes les pièces et ressorts, dans un ordre connu de lui seul. Ensuite, il baladait son fin pinceau dans tous les recoins du boîtier, enduisait de quelques gouttes d'huile les engrenages, vérifiait la tension des ressorts. Enfin, moment qu'il préférait, il remontait le mécanisme en un clin d'œil, avec une précision et une habilité désarmantes. C'était comme un jeu pour lui, un puzzle dont il connaissait toutes les astuces ! Moshe, son patron, s'amusait quelquefois à le chronométrer afin de pouvoir dire à ses clients que « *Chez Ziegler, on remontait les montres bien plus vite que chez les concurrents.* »

Cette solide place d'horloger avait été une planche de salut pour sa nouvelle vie à Paris, car malheureusement les années 1934 et 1935 furent difficiles. Plusieurs gouvernements faibles s'étaient succédé au pouvoir mis à mal par l'agitation de groupes extrémistes hostiles à la république. Dans cette ambiance déliquescente minée par la dépression venue d'Amérique, il ne faisait pas bon immigrer en France. De ce point de vue-là, Jacob conjuguait deux défauts majeurs : il était juif et allemand ! Ce dernier état, qui se remarquait quasiment instantanément dès qu'il ouvrait la bouche, l'avait conduit plusieurs fois au commissariat. Il avait même dû, passer quelques semaines dans la détestable prison de Fresnes dans la banlieue sud de la capitale, au milieu des prisonniers de droit commun. C'était Moshe Ziegler qui l'en avait sorti. Il avait des relations haut placées dans la police et ne pouvait plus se passer de son meilleur ouvrier : Jacob.

C'était aussi Moshe qui lui avait trouvé un logement définitif. Il s'était porté garant de l'achat à crédit d'un petit appartement situé au 62 rue de Saintonge dans le IIIe arrondissement près de la place de la République. L'appartement n'était pas bien grand, à peine quarante mètres carrés, de quoi accueillir une chambre, une salle à manger et une minuscule cuisine, mais Anna et Jacob s'y trouvèrent tout de suite bien. Les voisins, avec qui ils partageaient bien sûr les toilettes « à la turque » situées entre les paliers des étages, étaient pour la plupart immigrants juifs d'Europe comme eux, travaillant très dur, mais animés du même désir de donner à leurs enfants une chance et une meilleure vie à l'abri du nazisme, sous la protection de la République française. L'immeuble était un peu décrépi, les marches des escaliers usées par le temps, le plancher de la salle à manger en pente, mais la chaleur humaine qui s'en dégageait rassurait Jacob et sa famille. Après quelques mois, Anna avait pu s'acheter une machine à coudre « Singer », un engin magique en fonte émaillée de noir, et ornée de fines gravures d'or qui, grâce au mouvement ingénieux de son pédalier, accélérait grandement tout travail de couture. Elle entreprit immédiatement de confectionner de jolis rideaux pour la chambre à coucher qui firent l'admiration des voisines. Anna était courageuse et elle avait du talent. Le bouche à oreilles fonctionna immédiatement et sa voisine Esther lui avait commandé une paire de rideaux. Puis ce fut au tour de Sarah, la sœur d'Esther. Après quelques mois, Anna disposa d'une solide liste de commandes qu'elle réalisait tous les après-midis, assise devant sa chère machine, la fenêtre entrouverte laissant passer le vent frais de la cour, ses odeurs de repas, les cris des enfants qui y jouaient au ballon. La vie pouvait donc être douce au pays de Molière. Le vieux dicton allemand : « *Glücklich wie Gott in Frankreich** » se vérifiait chaque jour!

Jacob avait obtenu, à nouveau avec l'aide de son patron Moshe et ses fameuses relations dans la police, de vrais papiers qui prouvaient son statut de réfugié politique pour lui, Anna et Henri. Cela lui permit de faire rentrer le petit Henri à l'école communale rue Béranger, à deux cents mètres de l'appartement, en septembre 1934. Henri parlait déjà un français tout a fait correct mais malgré ses sept ans, il avait dû commencer en Cours préparatoire (CP), car le directeur de l'école voulait s'assurer qu'il disposait de bases solides en français. Henri se révéla très rapidement un élève très brillant qui absorbait la lecture et l'écriture avec une facilité surprenante. Mademoiselle Garnier, l'institutrice de CP, l'avait tout de suite remarqué et au bout de quelques mois, recommanda qu'il passât en CE1, rejoignant ainsi les enfants de sa classe d'âge.

Jacob était émerveillé des progrès fulgurants de son fils. En juin 1935, Henri parlait français couramment sans accent, et il était même capable de lire le journal. C'était ainsi que tous les soirs, s'asseyant sur les genoux de Jacob, il déchiffrait rapidement les principaux articles de *l'Humanité* et les traduisait pour son père. Jacob adorait suivre l'actualité en France, et la lutte contre le fascisme. Il admirait par-dessus tout Léon Blum, cet homme politique français et juif, qui semblait émerger et écrivait des articles incendiaires contre les partis

* *Heureux comme Dieu en France*

de droite et d'extrême-droite, qui ne se privaient pas de lui renvoyer la pareille en le submergeant d'articles antisémites.

Jacob sentait que quelque chose se passait en France depuis les fameuses émeutes sanglantes du 6 février 1934 qui avaient révélé aux français les courants violents et d'inspiration fasciste. Léon Blum et un autre contributeur prolifique dans *l'Humanité*, le communiste Maurice Thorez, avaient alors décidé de s'allier pour éviter à la France un scénario à l'allemande ou l'italienne. Et c'était ainsi que, grâce aux articles de journaux lus à haute voix par Henri, Anna et Jacob avait assisté à la naissance du Front Populaire et aux élections historiques de mai 1936.

Le moral d'Anna et Henri était au beau fixe. D'autant plus que cette année 1936 leur avait apporté le plus beau des cadeaux : une petite fille le 25 février. Dans leur enthousiasme, ils avaient décidé de lui donner un beau prénom français, symbole de leur renaissance à Paris : Renée. Jacob adorait son nouvel enfant; elle avait de grands yeux bleu-vert, de courts cheveux blonds sur sa tête dégarnie, et se tortillait dans tous les sens au fond de son berceau. Henri était très fier de sa nouvelle petite sœur, il la contemplait pendant de longues heures le soir et partageait la joie de ses parents de voir la maisonnée s'agrandir. Il l'avait attendue longtemps et avait souvent réclamé à Jacob et Anna un petit frère ou une petite sœur, ne se satisfaisant pas de son isolement d'enfant unique. Du haut de ses huit ans, il ne comprenait pas encore comment cette adorable créature était venue au monde, mais il avait vu le ventre de sa mère s'arrondir à l'automne. Jacob, un soir, lors de leurs lectures quotidiennes, lui expliqua qu'ils seraient bientôt quatre à la maison. Henri se réjouissait maintenant de voir les progrès si rapides de Renée et le magnifique sourire qui s'esquissait sur ses lèvres dès qu'elle le voyait.

Comme Jacob est heureux ! Renée, couchée dans son landau, fait babille et produit des chapelets de bulles avec sa bouche. Henri trépigne d'impatience, il veut voir les soldats ! Anna s'appuie tendrement sur son épaule. Arrivés tôt, ils sont là contre une barrière à attendre que le magnifique défilé du 14 juillet commence. Au loin, la coupole dorée de l'hôtel des Invalides resplendit de mille feux. La foule est de plus en plus dense et très joyeuse. Le gouvernement Blum a d'ailleurs déclaré trois jours de festivités pour le Peuple, l'Armée et la France. C'est la fête !

Ça y est : le défilé commence, avec les troupes à pied qui s'ébranlent vers le pont Alexandre III, à leur tête les Polytechniciens tout de noir vêtus, avec leurs drôles de bicornes vissés sur le crâne, suivis par les Saint-cyriens avec leur magnifique pantalon rouge et leur étrange chapeau à plumes, qui répond au nom encore plus étrange de casoar. Mais ce sont les cavaliers qui plaisent le plus à Jacob, Anna et Henri. Qu'elle est magnifique et imposante, la Garde républicaine, avançant parfaitement en cadence, casque doré sur la tête avec son célèbre panache rouge ! Tout cela, bien sûr, rythmé par une musique militaire entraînante et trépidante. Enfin apparaissent de curieuses machines, énormes engins blindés sur chenilles qui font un bruit assourdissant. Jacob n'a jamais vu cela, du moins pas en réalité, à quelques mètres de lui. Ce sont les chars d'assaut de l'Armée française, des *B1* fabriqués par *Renault*, et puis des *Somua* dont un certain lieutenant-colonel* de Gaulle fait la promotion. Jacob les reconnaît bien, Henri lui a lu un long article sur ces nouveaux régiments blindés et motorisés qui permettront à la France de se défendre contre toute attaque. Depuis que l'Allemagne a officialisé son réarmement, tous les gouvernements de la France vont consacrer des budgets importants à la modernisation de l'Armée.

Comme Jacob est heureux ! Il a fait le bon choix. La France est accueillante, forte et invincible. Ici, il pourra voir grandir Renée et Henri en paix.

** De Gaulle est nommé lieutenant-colonel le 29 décembre 1929. Il accèdera au grade de colonel le 25 décembre 1937 quand il reçoit le commandement du 507ᵉ Régiment de chars. Puis il et sera nommé Général de Brigade à titre temporaire le 6 mai 1940. Ce grade lui sera retiré le 22 juin 1940. De Gaulle est alors mis à la retraite, puis condamné à mort par contumace le 2 août 1940 pour désertion et sédition.*

A Broû-Vernet, près de Vichy et de Gannat, la Maison des Morelles est un établissement privé de l'Œuvre de Secours aux Enfants. C'est là que Henri et sa petite sœur Renée seront hébergés à l'automne 1940.

Chapitre 5
Broût-Vernet - Décembre 1940 - *Henri*

La porte s'ouvre. Papa est là, dans son beau costume du dimanche. Ses belles lunettes rondes encerclant ses yeux, sa fine moustache, et surtout son grand sourire. Henri lui saute dans les bras. Quel bonheur, après ces longs mois de séparation et d'angoisse ! Il est venu nous chercher. Enfin ! Henri n'en revient pas. Quand la directrice, Mademoiselle Bass, qui impressionnait les enfants par sa forte taille et ses cheveux blancs est venue le chercher dans la cour pour monter dans son bureau, il a demandé à sa petite sœur Renée de rester sagement jouer avec ses amies.

Qu'allait-il encore lui arriver après ces terribles mois de séparation ? Et grande surprise, quand la directrice ouvre la porte de son bureau au premier étage de la grande bâtisse principale, il aperçoit son père Jacob avec son grand sourire enchanteur ! Jacob est venu le chercher ainsi que sa petite sœur après tant de semaines sans nouvelles.

Tout s'était emballé à partir du mois de mai. Bien que Jacob lui ait promis que l'Armée française les défendrait contre les hordes nazies, pour une fois, il avait eu tort. Depuis mai, la guerre de position, la *drôle de guerre*, comme les journaux l'avaient nommée, était devenue brutalement une guerre éclair, mécanisée, qui avait vu rapidement les troupes françaises s'effondrer. Henri s'était aperçu que Jacob était de plus en plus soucieux le soir à la lecture des journaux. La propagande du gouvernement promettait un nouveau miracle de la « bataille de la Marne de 1914 », que les hordes allemandes seraient bloquées par le courage et le génie de nos armées. Mais Henri et ses parents avaient compris que la situation empirait de jour en jour et que les Allemands tant redoutés étaient aux portes de Paris. Les bombardements ennemis sur la capitale finirent par avoir raison des doutes de Jacob. Il fallait partir, même pour une courte durée et se réfugier au plus loin de l'avancée allemande, quelque part dans le sud de la France. En fait, quelques semaines plus tôt, la sœur aînée d'Anna, Elsa, réfugiée en Belgique avec sa famille, devant l'avancée des troupes allemandes s'était enfuie à Revel dans la Haute-Garonne près de Toulouse. Jacob et Anna décidèrent de les rejoindre au moins pour quelque temps. Jacob s'en était ouvert à son ancien patron, Moshe Ziegler, pour lui demander conseil. Ancien patron, car depuis septembre 1936, Jacob avait ouvert avec succès une petite boutique d'horlogerie bijouterie à St-Denis dans la banlieue nord de Paris. Moshe, qui était depuis plus longtemps installé en France n'envisageait pas la défaite des armées françaises mais il comprenait l'angoisse de Jacob qui lui avait décrit avec précision la violence nazie qu'il avait vu surgir si rapidement à Mannheim. Il lui promit de veiller sur la boutique de St-Denis pendant les quelques semaines que durerait son éloignement.

Anna prépara avec précision ce départ, rangeant précautionneusement leur petit appartement de la rue de Saintonge. Elle prévint sa voisine Esther de son départ imminent, lui confia un double des clefs, on ne sait jamais. Finalement, le dimanche 5 juin, Anna, Jacob et leurs deux enfants, flanqués de trois valises remplies du strict minimum, embarquèrent dans un train à la gare d'Austerlitz. Ils avaient précipité leur départ de quelques jours car la situation se détériorait à grande vitesse. Les communications officielles du gouvernement français devenaient incohérentes, mais Jacob avait compris entre les lignes que ce dernier se repliait sur Bordeaux. Puis il y avait aussi les sirènes annonçant les bombardements retentissaient maintenant en permanence, et les dégâts qui en découlaient étaient de plus en plus visibles. Anna avait été particulièrement choquée de découvrir la façade d'un célèbre café donnant sur la grande place de la République totalement éventrée. L'ennemi se rapprochait. Enfin, un flux de plus en plus massif de réfugiés, venus de Belgique ou du nord de la France, embouteillait Paris. Leurs regards hébétés et terrorisés montraient la précipitation avec laquelle ils avaient fui les zones de combats toujours plus proches.

La gare d'Austerlitz, ce jour-là, était emplie d'une invraisemblable cohue ! Des milliers de personnes avaient dormi à même le sol jonché de détritus, les femmes criaient, les enfants pleuraient et, visiblement, la gendarmerie avait de plus en plus de mal à contrôler la foule. On devait se débrouiller pour tout, boire ou se nourrir; les toilettes étaient immondes. La misère gagnait partout. Jacob avait vu juste : les rumeurs les plus folles couraient et le train dans lequel il avait réservé ses places était, paraît-il, l'un des tout derniers autorisés à quitter la capitale en direction du sud, tant les combats qui se rapprochaient rendaient la circulation ferroviaire dangereuse. Les trains étaient réservés aux troupes en retraite, censées renforcée la mirifique "Armée de la Loire". Une foule hurlante et compacte s'était donc amassée contre la barrière qui bloquait le quai pour essayer de monter dans ce supposé « dernier » train.

Henri avait bien cru qu'ils n'arriveraient jamais à atteindre les wagons tant convoités, mais la très grande taille de son père les avait finalement sauvés. Jacob, agrippant solidement Renée dans ses bras avait fendu la foule, en hurlant qu'il avait des billets pour ce train, Anna et Henri cramponnés derrière lui. Le gendarme qui barrait l'entrée du quai avait vu arriver de loin ce grand gaillard à l'accent allemand bien prononcé, de toute évidence bien décidé à passer. Il lui avait demandé ses papiers et ses billets de train. Après avoir constaté qu'en effet la famille Englander était bien en règle et avait bien acheté le droit de voyager sur ce train, il avait fait ouvrir les barrières et laissé passer Jacob, Henri, Anna et Renée, avec leurs trois valises. Ils avaient trouvé leur compartiment sans peine et s'étaient effondrés sur la banquette, n'en revenant toujours pas de l'indescriptible mêlée qu'ils venaient de traverser.

Enfin, avec deux bonnes heures de retard, le train s'ébranla et laissant derrière lui des volutes de vapeurs blanches, commença son périple vers le sud de la France. Il était vraiment bondé, car outre les passagers qui occupaient une place assise dans les compartiments, les couloirs étaient tous occupés par des personnes qui, accroupies ou debout, avaient visiblement réussi à persuader soit le contrôleur, soit les gendarmes, qu'ils devaient être du voyage.

Cette vision de « débâcle » humaine renforça la conviction de Jacob : il fallait s'éloigner au plus vite de l'envahisseur allemand. Les désordres qu'il avait lui-même observé ainsi que les articles qu'avait lus Henri dans la dernière édition de *L'Humanité* acheva de réduire en cendres ses certitudes concernant la force de la grande Armée française. Quand finalement le contrôleur arriva à se frayer un chemin dans le compartiment occupé par la petite famille Englander, Henri, dont le français était parfait, à l'inverse de celui de ses parents, lui demanda en lui montrant leurs billets de train pour Toulouse quel était le moyen le plus rapide de rejoindre Revel. « *C'est très facile, deux fois par jour, un train navette s'y rend de Toulouse.* » Jacob décida aussitôt de payer le supplément pour l'aller Toulouse-Revel.

C'était ainsi qu'au matin du 6 juin 1940, Henri, Anna, Jacob et Renée se retrouvèrent dans cette petite bourgade aux contreforts de la Montagne Noire à l'extrême pointe sud du Massif Central, après plus de seize heures d'un voyage exténuant. Ici, ils étaient loin de la bousculade parisienne. En cet heureux matin de juin, la ville semblait endormie, paisible et accueillante, et c'est tout naturellement qu'ils s'installèrent dans une petite chambre de l'Hôtel de la Gare. Les jours suivants, qui confirmèrent les craintes de Jacob sur la capitulation prochaine des armées françaises, furent consacrés à découvrir la région, retrouver leur famille et s'entretenir des projets pour les semaines à venir. Vers fin juin, quand l'armistice fut conclu ainsi que la séparation de la France en deux zones, zone occupée et zone libre, entérinée, Jacob et Anna comprirent qu'ils ne pourraient pas rentrer de sitôt à Paris. Il fallait absolument s'organiser pour tenir plusieurs mois, voire plusieurs années dans cette nouvelle région. Or Jacob n'avait que quelques mois d'économies sur lui. Il devenait pressant de trouver un travail. De plus, il ne serait pas possible de rester trop longtemps à quatre dans cette minuscule chambre d'hôtel qu'ils occupaient depuis leur arrivée à Revel.

A force d'échanger avec les habitants, Elsa, la sœur d'Anna, réussit à trouver, auprès d'un menuisier à la retraite, un endroit idéal. Il s'agissait en fait de l'ancien atelier de ce dernier, un grand local désaffecté. Jacob et Anna vinrent s'installer en compagnie de leurs enfants, avec Elsa, son mari, sa fille Zelma de deux ans l'ainée d'Henri, une autre sœur d'Anna prénommée Regina, avec sa fille Ruth et enfin la sœur benjamine de la famille Holzer, Hélène. Tous les dix partageaient cet appartement de fortune. Quatre sœurs Holzer étaient maintenant réunies sous le même toit, et malgré la précarité de leur situation, cette réunion imprévue leur réchauffait le cœur.

C'était Anna qui avait eu l'idée de conduire les enfants à Broût-Vernet près de Vichy où s'était replié le gouvernement nouvellement formé par le Maréchal Pétain. Elle avait entendu par son réseau de voisines juives de la rue de Saintonge et du boulevard du Temple que l'OSE, l'œuvre de Secours aux Enfants, association de sauvetage de familles juives en difficulté, venait d'y ouvrir un centre d'accueil pour enfants dans un petit château, prénommé la Maison des Morelles. C'est ainsi qu'en une matinée ensoleillée de juillet, Anna et Jacob se présentèrent devant la grande bâtisse blanche à Broût-Vernet pour confier à Mademoiselle Alexandra Bass leur deux enfants, Henri et Renée. C'était la première fois que Renée se séparait de ses parents et elle avait hurlé quand elle avait compris que Jacob et Anna l'abandonnaient ici à son sort, aux mains d'étrangers. Heureusement, Henri était resté avec elle et ne la quittait pas d'un pouce. Anna et Jacob lui avaient dit avant de partir : « *Nous comptons sur toi, tu es grand maintenant, presque treize ans, un adulte dans la religion juive. Tu dois veiller sur Renée comme sur la prunelle de tes yeux !* » Henri avait pris ce message à la lettre. Il avait longtemps serré Renée dans ses bras après le départ de ses parents afin qu'elle apaisât ses sanglots et dominât sa terreur.

La vie à la Maison des Morelles n'était pas désagréable. Mademoiselle Bass, d'origine russe et docteur, chercheur en médecine de son état, sous des airs bourrus, avait un grand cœur. Elle tenait absolument à ce que les enfants soient tous vaccinés et avait fait subir à Henri et Renée la torture des seringues dès leur arrivée. L'enseignement religieux était prodigué à la Maison des Morelles où Henri étudiait assidûment en vue de sa *Bar-Mitsvah* prochaine ; l'enseignement laïc se déroulait à l'école communale de Broût-Vernet où se rendaient les enfants tous les jours, encadrés par leurs éducateurs.

Henri s'était lié d'amitié avec une jeune fille de son âge, Léa Katz, qui veillait elle aussi sur ses deux petits frères de cinq ans et six ans et demi. Ensemble, ils s'épaulaient et partageaient leurs joies et leurs angoisses de naufragés, séparés de leurs parents, incertains de leur avenir.

Le temps avait semblé bien long à Henri qui n'avait plus de nouvelles de ses parents depuis juillet. Une première carte postale arriva en septembre, puis en octobre. Anna y expliquait que Jacob cherchait activement du travail, qu'il avait presque trouvé. Ses qualités d'horloger, la chaude lettre de recommandation que lui avait écrite Moshe, son ancien employeur à Paris, lui ouvraient des portes. Henri ne savait pas s'il fallait y croire et commençait souvent à s'inquiéter.

Aujourd'hui, l'angoisse allait prendre fin. Son papa, Jacob est devant la porte de l'institution en train d'expliquer à Mademoiselle Bass qu'il vient rechercher Henri et Renée. Il avait enfin trouvé un travail stable dans la maison Bonnefont à Castelnaudary et leur avait loué une petite maisonnette au 27 rue de la Comédie dans la même ville. Henri ne parvient pas à contenir sa joie, et après avoir demandé l'autorisation à Mademoiselle Bass, il se précipite dans la cour où Renée est occupée à jouer à la marelle, la saisit par le bras et accourt vers son père. La petite Renée, à la vue de la grande silhouette de Jacob, reconnaît son odeur et sa voix grave lui parlant allemand. Elle se jette dans ses bras. Il la soulève et la fait tournoyer au-dessus de sa tête en la couvrant de baisers.

Henri pleure de joie. Son père semble si fier de lui. Il a observé ses prescriptions à la lettre et a su protéger sa petite sœur comme la « prunelle de ses yeux ». La séparation avec ses parents est terminée. Ils vont enfin pouvoir reconstruire leur vie à Castelnaudary !

Certificat d'identité de Renée Englander établi le 3 mars 1943 à Castelnaudary, où est réfugiée sa famille.

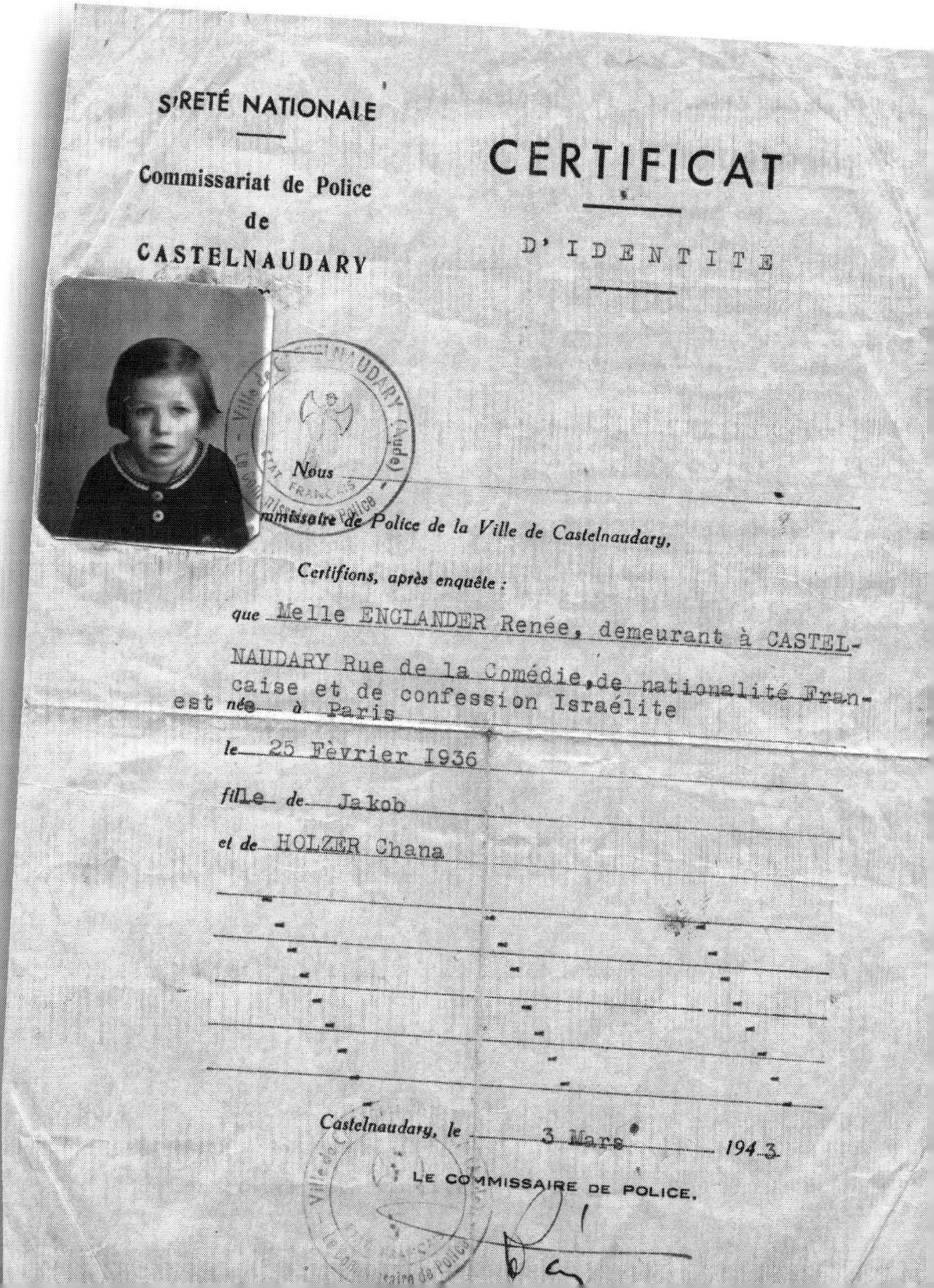

SÛRETÉ NATIONALE

Commissariat de Police
de
CASTELNAUDARY

CERTIFICAT

D'IDENTITE

Nous ....

Commissaire de Police de la Ville de Castelnaudary,

Certifions, après enquête :

que Melle ENGLANDER Renée, demeurant à CASTELNAUDARY Rue de la Comédie, de nationalité Française et de confession Israélite

est née à Paris

le 25 Fèvrier 1936

fille de Jakob

et de HOLZER Chana

Castelnaudary, le 3 Mars 1943.

LE COMMISSAIRE DE POLICE.

Rigal photo Castres

Le Petit Séminaire de Castres encore appelé Collège de Barral, fût reconstruit rue Briguibout en 1933. Le Père Pierre-Marie Puech en était le supérieur ; c'est là qu'il cachera de nombreux élèves juifs, ainsi que plusieurs enseignants. Le Père Pierre-Marie Puech deviendra ensuite Évêque de Carcassonne de 1947 à 1982.

PETIT SÉMINAIRE DE CASTRES (TARN)

14. Statue du Sacré-Cœur (Parc)

Chapitre 6
1943 – Le Tanakh dans l'église du Petit Séminaire de Castres - *L'Abbé Puech*

La lumière du jour qui éclaire le vitrail coloré caresse les murs en cette fin d'après-midi de décembre. Le Père Puech, directeur du petit séminaire de Castres, dit aussi Collège de Barral, est assis dans son bureau, au côté d'Henri. Deux jeudis par mois, en fin d'après-midi, à l'abri des regards, il étudie avec le jeune homme un chapitre du Tanakh* en Hébreu. Aujourd'hui, ils se concentrent sur le sacrifice d'Abraham.

Ils promènent ensemble leurs doigts sur les phrases hébraïques millénaires. La figure d'Abraham, vieillard centenaire, prend vie. Ils le voient, torturé par la volonté du Seigneur qui lui demande l'ultime sacrifice de son unique fils adoré Isaac et accompagnent ses pas lourds mais décidés dans l'ascension du mont Moriah. Le Père Puech guide Henri dans sa lecture, lui expliquant les ressorts profonds de l'âme humaine à travers l'aventure d'Abraham et d'Isaac. Ils s'arrêtent longuement sur les interrogations du jeune Isaac qui demande à son père : « *Où est l'agneau sacrificiel ?* » et la réponse d'Abraham : « *C'est le Seigneur qui y pourvoira.* »

Le Père Puech est maintenant, à trente-sept ans, un prêtre chevronné, profondément pieux et érudit. Né dans le Tarn et après avoir suivi ses études au Collège de Barral, il est ordonné prêtre en 1930. Attiré par la vocation de professeur, il se dirige naturellement vers l'enseignement dans l'école qui l'a vu grandir. C'est une belle bâtisse blanche, avec un magnifique frontispice orné d'une grande et belle croix en pierre. Logée dans une courbe du Tarn au sud de Castres, elle accueille des

* *Acronyme hébreu désignant la bible hébraïque.*

jeunes garçons à partir de la 6e avec l'ambition de leur donner une éducation catholique et de susciter des vocations sacerdotales. Le Père Puech, directeur de l'école de Barral depuis juillet 1940, a une approche tolérante de l'enseignement catholique. Bien que la fonction première de l'école soit l'éducation religieuse et l'éveil des vocations sacerdotales, il est intimement persuadé qu'on ne force pas de telles vocations et que son rôle n'est pas d'enrôler de nouveaux prêtres, mais bien d'être à l'écoute de ces jeunes âmes et de leur laisser le libre choix de leur vie future tout en les éclairant par l'enseignement de l'Église.

Cette attitude aimante et tolérante fut particulièrement mise à l'épreuve au cours des derniers mois. Quand il prit la direction de l'école, il constata rapidement que de nombreux professeurs juifs enseignaient déjà dans son établissement. Certains fuyaient le régime nazi, dont cet ancien avocat bavarois, qui après une plaidoirie contre Hitler et un internement à Dachau avait fui, en Autriche puis en France. Plus tard d'autres seront traqués par la Gestapo et par la milice de Vichy. Pour cet homme profondément juste et tolérant, il était hors de question de ne pas continuer à donner asile à ces hommes qui n'avaient commis comme seul crime que celui de détester Hitler et d'être de confession juive. Mais le Père Puech était un homme discret et avait pour règle de ne jamais se mêler de politique, surtout que certains parents d'élèves étaient de farouches partisans de Vichy alors que d'autres afficheront plus tard des sympathies pour la Résistance.

Pour cela, il décida très tôt que lui seul connaîtrait la provenance de ses professeurs et de ses élèves et qu'il les engagerait à la plus grande discrétion. Le Père Puech*, homme de conscience, était horrifié par les mesures discriminatoires des lois anti-juives prises par le gouvernement Pétain, et cela dès l'automne 1940. Plus tard il apprendra l'existence de ces rafles ignobles dont les Juifs étaient victimes. Pour lui, imprégné

** D'autres hommes de foi adopteront une attitude identique, en particulier dans le sud de la France. On peut citer en particulier les prises de position de Monseigneur Théas, Évêque de Montauban, qui s'engagera dès l'été 1942 contre les rafles et condamnera les mesures antisémites de Vichy. Citons également les pasteurs Charles Guillon, André Trocmé et Edouard Theis qui avec l'aide de tout le village du Chambon-sur-Lignon sauveront plus de 1000 Juifs, et même 3000 si on tient compte des réfugiés de passage.*

d'Évangile et d'amour du prochain, il n'était pas question de ne pas aider ces pauvres gens et il décida d'accueillir plusieurs jeunes garçons juifs dont il camoufla l'identité.

C'est ainsi qu'il fit la connaissance d'Henri en septembre 1943. Ce dernier avait dû changer son nom et s'appelait maintenant Henri Anglade. Il lui avait été envoyé par le principal du Petit Séminaire de Castelnaudary qui lui recommandait par courrier ce jeune élève travailleur et particulièrement brillant. Son père Jacob l'avait accompagné pour sa première rencontre avec le Père Puech. Ce dernier avait tout de suite aimé cet homme grand, réfléchi et lui avait promis de s'occuper d'Henri avec le plus grand soin. Au vu de ses résultats scolaires antérieurs, il le fit admettre immédiatement en quatrième. L'abbé avait fait promettre à Henri de ne jamais révéler sa véritable identité à personne. Il devait comme tous ses camarades de classe se soumettre avec zèle à la rigueur du petit séminaire et venir régulièrement se confesser. Henri, dévasté par la séparation d'avec ses parents et sa petite sœur Renée, mais bien conscient du danger qui l'entourait depuis que les Allemands avaient envahi la zone libre en novembre 1942, s'était rangé à ces prescriptions.

Ce fut alors qu'un miracle se produisit. Un soir d'octobre, agenouillé dans le secret du confessionnal, Henri confiait comme à son habitude au Père Puech ses angoisses liées à la séparation d'avec sa famille, ses envies de révolte contre l'ordre établi qui l'obligeait à se cacher sous une fausse identité et à adopter une nouvelle religion. L'abbé après avoir longuement écouté l'adolescent torturé, lui posa alors une question surprenante :
- As-tu fait ta *Bar-Mitsvah*, mon fils ?
- Oui mon père, mais dans la précipitation entouré des seuls membres de ma famille en août 1940 » répond Henri surpris par une telle question, mais maintenant mis en confiance par l'attitude bienveillante du prêtre.
- Souhaites-tu continuer ton éducation hébraïque, mon fils ? » lui demande l'abbé à voix basse.
- Oui, mon père, mais ce n'est pas possible, vous le savez bien !
- Rien n'est impossible, si on aime le Seigneur, mon fils. Ce dernier par l'intermédiaire de tes parents, t'a placé sous ma protection. Il est le Seigneur de tous les croyants et ne souhaite pas forcément que

tu te convertisses. Si tu le désires, je peux t'aider à continuer ton éducation. J'ai dans mes bureaux des phylactères* et un châle de prière que je te donnerai. Nous pourrons étudier ensemble le Tanakh, en secret bien sûr. Qu'en dis-tu mon fils ? »
Henri avait été totalement désarçonné par cette proposition. Comment un prêtre catholique pouvait-il concevoir une telle chose ? Mais instinctivement, il avait confiance. Henri ressentait le besoin de se rapprocher de la religion et de cet homme si bon, si généreux qui voulait le sortir de sa détresse et de son isolement.
- Pourquoi pas mon Père, ce serait merveilleux, mais n'est-ce pas dangereux pour vous ? Personne ne doit savoir que je suis juif ?
- Rien n'est dangereux pour celui ou ceux qui cherchent la lumière. Je serai honoré de t'apprendre les saintes écritures en hébreu et de t'aider à pratiquer ta foi et celle de tes ancêtres ! »
Malgré l'obscurité du parloir, une grande lumière intérieure venait de s'allumer dans le cœur d'Henri. Le garçon était submergé d'émotion. Cet homme qui lui parlait doucement à travers le grillage était un saint. Il ne le jugeait pas, il ne le menaçait pas. Il voulait seulement le guider dans son cheminement spirituel, quelle que fût sa foi.

Henri accepta cette proposition saugrenue et miraculeuse et se présenta le jeudi suivant dans le bureau de l'Abbé Puech. Ce dernier le fit entrer, ferma la porte à double tour, puis lui apporta un livre de prière en hébreu, un châle de prière ainsi qu'une petite boîte contenant les fameux phylactères. « *Aujourd'hui, je vais t'apprendre à les mettre* ». Il lui posa un petit calot sur la tête puis déplia le châle de prière qu'il posa délicatement sur ses épaules. Ensuite, il sortit de la boîte les deux précieux boîtiers noirs suspendus à des lanières de cuir. Après lui avoir fait répéter la bénédiction en hébreu des « *tefillins* », il lui dénuda le bras gauche et lui attacha le premier phylactère, puis posa le deuxième sur son front.

Henri se sentit porté par ces gestes. Le Père Puech était calme et résolu. Ce qu'il faisait dans le secret de son bureau était en accord avec sa foi

---

* *Se dit aussi « tefillins » en hébreu. Cet objet de culte comprend deux petits boîtiers cubiques comprenant quatre passages bibliques et rattachés au bras et à la tête par des lanières de cuir. Il est porté par les hommes ayant atteint leur maturité religieuse.*

et ses croyances les plus profondes. Son but ultime n'était ni la conversion ni la formation de futurs prêtres, mais bien le rapprochement de ces jeunes âmes avec le Seigneur. Ce qu'il accomplissait pour Henri, bien que peu orthodoxe, était l'expression de cette liberté de croire dans le Seigneur quelle que fût sa foi, de cet amour du prochain qui vibrait en lui et qu'il voulait transmettre.

La lumière traversant le vitrail s'éteint peu à peu dans les cendres de l'après-midi finissante. Il est presque cinq heures du soir. Le Père Puech allume sa petite lampe de bureau afin qu'ils puissent terminer leur lecture. Les phrases millénaires de la Bible s'illuminent devant leurs yeux.

Au moment de commettre l'irréparable, le bras d'Abraham est arrêté par l'ange divin et son fils Isaac est remplacé sur l'autel du sacrifice par un bélier pris dans les broussailles. La confiance d'Abraham dans le Seigneur n'était donc pas vaine. L'abbé arrête la lecture à cet instant et se penche vers Henri. « *Tu vois mon fils, tu dois avoir confiance dans les voies du Seigneur. Il sait que ta famille et toi souffrent en ce moment mais toi aussi, comme Abraham, tu rencontreras l'ange qui vous réunira quand cette guerre s'achèvera. Il se fait tard maintenant, nous devons nous arrêter là. Enlève ton châle et tes phylactères. Nous reprendrons dans deux semaines.* » Henri s'exécute sans un mot puis salue l'abbé avant de ressortir de son bureau. Il ne comprend toujours pas pourquoi Le Père Puech lui permet, à l'abri des regards, de pratiquer sa foi. Mais il en tire une profonde paix intérieure et une confiance renouvelée dans l'être humain. Le Père Puech a raison, malgré la dureté des évènements, l'ange viendra les sauver, Renée, lui et ses parents. Il en est désormais convaincu.

Vk 2.443?/1

MINISTERE
DES
ANCIENS COMBATTANTS
ET VICTIMES DE GUERRE

DELEGATION GENERALE
POUR
L'ALLEMAGNE ET L'AUTRICHE

Mission Francaise de
Liaison

Référence à rappeler:
CD/ER No. 40.931

REPUBLIQUE FRANÇAISE

AROLSEN, le 21 DEC 1955

Monsieur P. FASSINA
Agent permanent de Liaison
auprès du Service International
de Recherches
AROLSEN Kr. Waldeck

à

Madame Maja HOLLANDER
19, Rue de Rome
TOULOUSE (Hte.Garonne)

OBJET : Vos lettres des 17 Août et 30 Octobre 1955.

Madame,

J'ai l'honneur de vous accuser réception de vos deux lettres citées en référence dont les termes ont retenu toute mon attention.

Les recherches dans les archives du Service International de Recherches ont permis de recueillir les renseignements suivants:

1) Regina H O L Z E R
née le 1.9.19o2 à KRYNICA,
déportée le 18.9.1942 de DRANCY
à AUSCHWITZ.

2) Monsieur Karl H O L Z E R
sans date et lieu de naissance,
déporté le 23.9.1942 de DRANCY
à AUSCHWITZ.

3) Monsieur Jakob ENGLANDER
né le 3.9.1893 à BRZECKO (Pologne)
domicilié 27, Rue de la Corne du Castelnaudary,
interné à DRANCY,
Catégorie ou raison donnée pour l'incarcération:
JUIF
transferé le 1o.2.1944 à AUSCHWITZ.

Comme vous le remarquez nous ne possèdons pas de renseignements sur le sort qui à été celui des membres de votre famille cités-dessus après leur arrivée à Auschwitz.

./.

Chapitre 7
1944 - Arrestation de Jacob Englander - *Renée*

En cette fin de mois de juillet 1944, tous sont attablés ce soir-là autour d'un bon pot-au-feu préparé par Anna : Henri, Renée, des amis, les Eisenbach, la sœur d'Anna, Hélène qui leur a trouvé cette petite maison à Querbes près de Capdenac dans l'Aveyron. Ici les « boches », comme on les appelle maintenant, ne viendront pas. Ils ont trop à faire avec les alliés qui viennent d'établir une tête de pont en Normandie et s'apprêtent à débarquer en Provence. Cela, Renée l'a lu avec son frère dans le journal.

Elle est heureuse d'avoir retrouvé les siens après les longs mois de galère, de comédies hypocrites et de mensonges qu'elle vient de passer seule sous une fausse identité. Mais elle ne peut être sereine. « *Un seul être vous manque et tout est dépeuplé* » avait dit en son temps Alphonse de Lamartine. Son père adoré, Jacob, n'est pas autour de la table et personne ne sait si on le reverra. Après l'avoir récupéré au couvent où elle était cachée, sa mère lui avait raconté maintes fois l'histoire de l'arrestation de son père en février 1944. Elle se rongeait encore les sangs de l'avoir laissé repasser à la maison, rue de la Comédie, cette nuit-là. En fait, depuis la fin 1942 et la suppression de la Zone libre, la vie des parents Englander s'était considérablement compliquée et dégradée. Henri avait d'ailleurs surnommé cette période « *la transition abominable* ».

Non seulement Anna et Jacob avaient dû se séparer de leurs enfants : Henri au petit séminaire de Castres et Renée dans un couvent à Limoux, mais il s'étaient rapidement aperçus que leur présence rue de la Comédie, en plein Castelnaudary, représentait un danger. Leur fort accent allemand ne laissait aucun doute sur leur statut de réfugiés et l'administration française devenait de plus en plus tatillonne et suspicieuse. Jacob avait de plus commis l'erreur, par respect pour la République française, d'aller se faire déclarer comme « Juif » en mairie. Renée détestait tant ce certificat d'identité française que son père lui avait fait établir début 1943 à Castelnaudary où, à coté de sa photo d'enfant de sept ans visiblement apeurée, avait été appliquée la mention « *de confession Israélite* ». Quelle bêtise* !

Jacob s'en était ouvert à son patron, Monsieur Bonnefont qui lui avait fait rencontrer son notaire : Maître Gouttes. Ce notable local d'une cinquantaine d'années avait en horreur l'occupant nazi et ne supportait plus la servilité du régime de Vichy qui, non content de se coucher devant l'ennemi, collaborait activement pour leur livrer de pauvres Juifs et acceptait allègrement d'envoyer la majorité des jeunes Français au STO (Service du Travail Obligatoire). Maître Gouttes était un homme fier, issu d'une longue lignée de chauriens**, implantés depuis des siècles dans la région, qui se méfiaient de toute autorité centrale, quelle qu'elle fût. Il s'était tout de suite lié d'amitié avec Jacob, ce grand gaillard aux yeux bleus qui essayait de mettre sa famille à l'abri. Ils avaient en commun le goût de la liberté et la droiture des hommes qui travaillent dur pour gagner dignement leur vie. Comprenant le désarroi de ce père de famille, il lui proposa de l'héberger, avec son épouse, dans sa maison de campagne à Souilhanels, un petit village situé à quelques kilomètres au nord-ouest de Castelnaudary. Jacob ne se rendit ainsi plus que quelques jours par semaine à la maison Bonnefont à bicyclette pour y livrer son travail minutieux d'horloger qu'il effectuait à l'abri des regards dans la maison de Souilhanels. Anna et lui passaient occasionnellement rue de la Comédie, le plus souvent à la nuit tombée, pour y chercher quelques affaires et s'assurer que la maison était en ordre.

Même si Anna et Jacob commençaient à désespérer, s'ils se sentaient traqués comme des bêtes sauvages, et s'ils souffraient terriblement de la séparation d'avec leurs enfants, ce petit manège aurait pu durer jusqu'à la fin de la guerre. Malheureusement, tout s'arrêta brutalement en

** Voir page 41* *** Habitants de Castelnaudary*

cette maudite nuit de janvier 1944 qui restera gravée dans la mémoire d'Anna et des enfants jusqu'à la fin de leurs jours.

Jacob avait décidé ce soir-là qu'il irait chercher quelques draps rue de la Comédie. Cette nuit était particulièrement noire. La rue était assez étroite à l'endroit de la résidence des Englander et Anna marchait à une dizaine de mètres derrière Jacob. Alors que ce dernier s'apprêtait à tourner la clé dans la serrure, deux *Feldgendarm* sortis de nulle part l'interpellèrent en allemand : « *Herr Englander ?* ». Jacob se retourna instantanément et répondit « *Ja* », dévoilant par là même son identité. Anna, témoin de cette scène, s'arrêta net et s'appuya pendant quelques instants sur le chambranle d'une porte de maison. Puis, ce qui lui sauva sûrement la vie, elle eut la présence d'esprit de continuer son chemin comme si de rien n'était, comme si elle ne connaissait pas ce grand gaillard qui avait maille à partir avec les gendarmes allemands.

Ainsi, pour son plus grand malheur, elle assista en direct à l'arrestation de son mari bien-aimé, et cela brisa à jamais sa croyance dans la bonté humaine. Jacob, surpris par son interpellation, répondit en allemand quelques mots qu'elle ne put entendre. Puis, pris de panique, il se mit à dévaler l'étroite rue de la Comédie qui descendait vers la place de Verdun. Les deux *Feldgendarm*, bien plus jeunes que Jacob, n'eurent aucune difficulté à le rattraper et se jetèrent sur lui pour l'immobiliser devant la fontaine de la place. Anna, qui avait continué son chemin mécaniquement, comme un automate, avait assisté à toute la scène et était glacée d'effroi. Jacob, était maintenant menotté et saisi sans ménagement, emmené on ne savait où.

Anna se précipita chez Maître Gouttes qui était sur le point de se coucher pour lui relater cette effroyable arrestation. Ce dernier la calma, lui offrit asile pour la nuit puis dès le lendemain matin avec son ami l'horloger Bonnefont, alla s'enquérir à la gendarmerie du sort réservé à Jacob. Les nouvelles qu'il rapporta n'étaient pas bonnes. Après avoir passé la nuit à la gendarmerie, Jacob avait été immédiatement transféré à la prison de Carcassonne. C'était un « *Juif identifié comme étranger* » et la Gendarmerie française ne pouvait plus rien pour lui. Quelques jours plus tard, Monsieur Bonnefont eut l'autorisation de rendre visite à Jacob à la maison d'arrêt de Carcassonne. Il était meurtri et portait sur lui des bleus qui ne laissaient aucun doute sur la sauvagerie de son arrestation et la brutale interrogation qui avait sans doute suivi.

Malgré leurs relations, Maître Gouttes et Monsieur Bonnefont n'avaient rien pu faire. L'administration française restait intraitable ; elle avait reçu l'ordre d'arrêter et de déporter vers Drancy tous les Juifs étrangers du département. Elle se conformait au règlement et exécutait l'ordre avec un véritable zèle, ce qui laissait les protecteurs de la famille Englander pantois. Maître Gouttes devait maintenant se méfier. A trop essayer de sauver Jacob, il allait éveiller des soupçons et mettre en danger Anna. La présence des deux *Feldgendarm* au 27 rue de la Comédie ressemblait fort à un piège tendu à Anna et Jacob sur dénonciation.

Anna apprit ainsi que Jacob avait été transféré à Drancy le 2 février 1944 puis jeté dans un train le 10 février 1944 pour une destination inconnue en Allemagne. Depuis plus rien, plus de nouvelles ! Heureusement que Maître Gouttes était là ; il continuait d'assurer à Anna un gîte et une protection. Cette dernière, après avoir rassemblé ses esprits, décida qu'elle n'en pouvait plus et qu'elle allait récupérer ses enfants.

Elle prit rendez-vous avec l'abbé Puech à Castres et lui exposa son malheur. Ce dernier lui conseilla d'attendre la fin de l'année scolaire afin de ne pas perturber la scolarité d'Henri. Il lui promit qu'il chercherait un endroit sûr où elle pourrait, auprès de ses enfants, attendre la fin de la guerre. Car celle-ci ne faisait maintenant aucun doute depuis les victoires alliées en Afrique du Nord et les reculades allemandes sur le front Russe. Ce fut Hélène, la sœur cadette d'Anna, qui trouva le refuge idéal. Hélène qui avait émigré en France dès 1933, n'avait jamais mentionné son statut de Juive, parlait un français parfait sans accent, était dotée d'un culot monstre - le fameux « *chuspa* » comme l'on dit en yiddish - et d'un physique plutôt agréable, qui avait fait tourner la tête de beaucoup d'hommes. Elle était, elle aussi, refugiée dans le sud-ouest de la France, avait notamment réussi à extraire sa sœur Elsa et sa famille du camp de Gurs et avait placé leur fille Zelma dans un couvent à Castres.

Elle avait des amis partout, et en particulier des partisans. Ces derniers lui assurèrent qu'ils connaissaient une maison à louer dans l'Aveyron dans un village où tous étaient maintenant acquis à la cause de la Résistance. En mai 1944, Anna vint récupérer Renée puis Henri et les conduisit sous la direction d'Hélène à Querbes. Comme l'avaient décrit les partisans, la population locale était particulièrement accueillante et ils purent ainsi retrouver le bonheur d'être ensemble, malgré la blessure indélébile de l'arrestation de Jacob.

Renée est pensive ce soir. Elle s'attarde plus que d'habitude sur son assiette. Elle a moins peur et trouve le réconfort auprès de sa famille et surtout auprès de son petit chat « Grisou », que sa mère avait gardé pendant ces longs mois de séparation. Mais, déjà blessée par cet horrible séjour dans ce maudit couvent, Renée ne comprend pas. Elle n'a que huit ans, la vie l'a déjà frappée si durement et injustement ! Pourquoi les gendarmes ont-ils arrêté son papa ? Qu'avait-il fait de mal, à part s'appeler Jacob et parler le français avec un fort accent allemand ? Sa mère Anna ne pouvait pas le lui expliquer. Son grand frère Henri, non plus, malgré ses brillantes études au petit séminaire de Castres. Tante Hélène, pourtant si maligne, aux connaissances si nombreuses, ne pouvait dire où on l'on avait emmené. Grisou est maintenant blotti sur ses genoux et ronronne avec délice. Renée finit sa dernière cuillère de pot-au-feu, caressant d'une main son chat. Elle est perdue dans ses rêveries. Elle voudrait tellement, et tout son être le crie, se réveiller et pouvoir se jeter dans les bras de son papa chéri.

January 16th, 1965

United States Lines Co.
#1 Broadway
New York 4, N.Y.

Att: Mr. Paul Sandor, Mgr.
Prepaid Department
Eastbound ticket #117288

Dear Mr. Sandor:

When I came to America in October, 1938 on the SS Washington, I purchased a round trip ticket, and have never used the return portion. I have made inquiries at your offices several times and was informed that I can receive full credit for the above numbered ticket by paying the difference between the purchase price at that time and the price whenever I wish to make the trip.

Since it is not likely that I will use the ticket myself in the near future, I am wondering whether it is possible for my niece, Valarie Morris, who has booked passage on the United States departing February 24th, 1965, to use my ticket. If so, I would appreciate your advising me to that effect so that we can make the necessary arrangements for transfer.

I also paid, in 1938, the sum of 100 RM for board money. I have a letter in my possession from W. J. Dietz dated 10/11/50 in which he refers to this and advised me that same has been located. It seems that when I made inquiry in 1950 your office could not trace this, but Mr. Dietz advised me in his letter that same has been located. This, too, I should like to apply toward Valarie's ticket, if possible.

I believe I should also call to your attention the fact that the original ticket was lost long ago. If it is necessary for me to sign papers regarding the loss of the ticket, as well as transfer forms to Miss Morris, please be good enough to send them to me.

I would appreciate your prompt attention to this matter, since Miss Morris will sail on February 24th and time is growing short. Thank you for your cooperation.

Sincerely yours,

Chapitre 8
1965 – Le remboursement du passage – *Moritz*

La vieille machine à écrire crépite doucement en ce samedi 16 janvier 1965. Moritz, assis derrière son bureau promène ses doigts lentement sur le clavier. Il est trois heures de l'après-midi. Son épouse, malgré la neige qui tombe en flocons denses est allée prendre le thé chez son amie Linda sur Queens Boulevard dans le quartier de Rego Park à New York City. Moritz aime cette ville qui l'a accueilli trente ans plus tôt alors qu'il fuyait l'Allemagne nazie. Ici, les Juifs vivent entre eux. Ici les Juifs vivent en paix.

Les mots s'affichent lentement sur le papier...
« *Dear Mr. Sandor,*
When I came to America in October 1938 on SS Washington, I purchased a round trip ticket, and have never used the return portion.... ».

Moritz écrit à la compagnie de navigation « United Lines » auprès de laquelle il avait acheté un billet pour une traversée aller-retour. Il souhaite obtenir un crédit pour n'avoir jamais utilisé le retour d'Amérique en Europe. Il voudrait ainsi financer le voyage de sa nièce Valérie Morris qui a réservé une place sur un navire partant pour l'Europe en février. Il n'y a pas de petit profit ! Et il se souvient.... les yeux embrumés de larmes. La famille si unie, si heureuse, dans laquelle il est venu au monde en 1906, a été broyée par la guerre.

Ses parents, tout d'abord, Wolf et Hendel qui avaient finalement pensé trouver refuge en Pologne, après que la vie à Mannheim soit devenue insoutenable pour les Juifs, ont été froidement assassinés, gazés dans un camion. Ses frères aînés Samuel et Akiva ont subi le même sort. Sa sœur Regina, refugiée en France a été arrêtée et déportée en septembre 1942 à Auschwitz. Elle n'est jamais revenue.

Sa sœur Anna a tant souffert aussi. Son mari Jacob a été déporté à Auschwitz en février 1944 et a été gazé dès son arrivée. Anna et ses enfants avaient pourtant tant espéré le voir revenir de déportation dès la libération de la France fin 1944 ! Anna s'était rendue maintes fois à l'hôtel Lutetia, dans l'espoir de le revoir, en vain. On leur avait tout pris, leur mari et père, le petit commerce d'horlogerie-bijouterie à Saint-Denis et même leur appartement, rue de Saintonge, vidé de son contenu et reloué à des tiers. Il avait fallu attendre un jugement du tribunal civil de la Seine en 1947 pour qu'Anna récupère son appartement en 1949. Il avait surtout fallu attendre décembre 1955 pour recevoir confirmation du Ministère des Anciens Combattants Français de la déportation de Jacob*.

Quelle force de caractère, cette Anna ! Elle s'était battue pour que ses enfants survivent et ils avaient fait mieux que cela. Elle avait poussé Henri à faire des études de médecine qu'il avait brillamment réussies. Ce dernier avait lui aussi pensé un moment émigrer aux États-Unis, mais il n'avait pas pu se résoudre à quitter sa mère et sa sœur. La petite Renée avait surmonté cette douloureuse épreuve, à sa manière, et avait passé avec succès son baccalauréat en 1955 puis une licence de psychologie de l'enfant en 1959. Elle avait surtout rencontré ce jeune homme venu de Tunisie qui se disait Juif et l'avait épousée en 1959. Cela avait fait tout drôle à sa sœur Anna d'accepter ce mariage « mixte » avec un Juif d'Afrique du Nord, qui avait un accent si horrible quand il prononçait les prières en hébreu. Mais, il était si charmant, si intelligent- il faisait des études de médecine- si prévenant pour Renée, qu'Anna et Henri l'avaient finalement accepté.

Il avait même donné un fils à Renée en 1963. Ils l'avaient prénommé « *Jacques* »** pour honorer la mémoire de Jacob. Enfin, par chance et par bonheur, ses trois autres sœurs Elsa, Marie et Hélène avaient survécu et émigré en Israël où elles coulaient maintenant des jours paisibles.

Moritz est un survivant. Il a eu la bonne fortune de partir aux USA quand cela était encore possible, il a échappé à l'enfer nazi, y a trouvé

---

* *Voir page 48* ** *L'auteur*

l'amour de sa vie et appris un vrai métier, celui de la confection de fauteuils et canapés, métier qui le fait vivre depuis plus de vingt ans. Les souvenirs ressurgissent et les mots glissent sur le papier :

« *I believe I should also call your attention to the fact that the original ticket was lost long ago. If it is necessary for me to sign papers regarding the loss of the ticket, as well as transfer forms to Miss Morris, please be good enough to send them to me.* »

Il enverra cette lettre lundi matin.

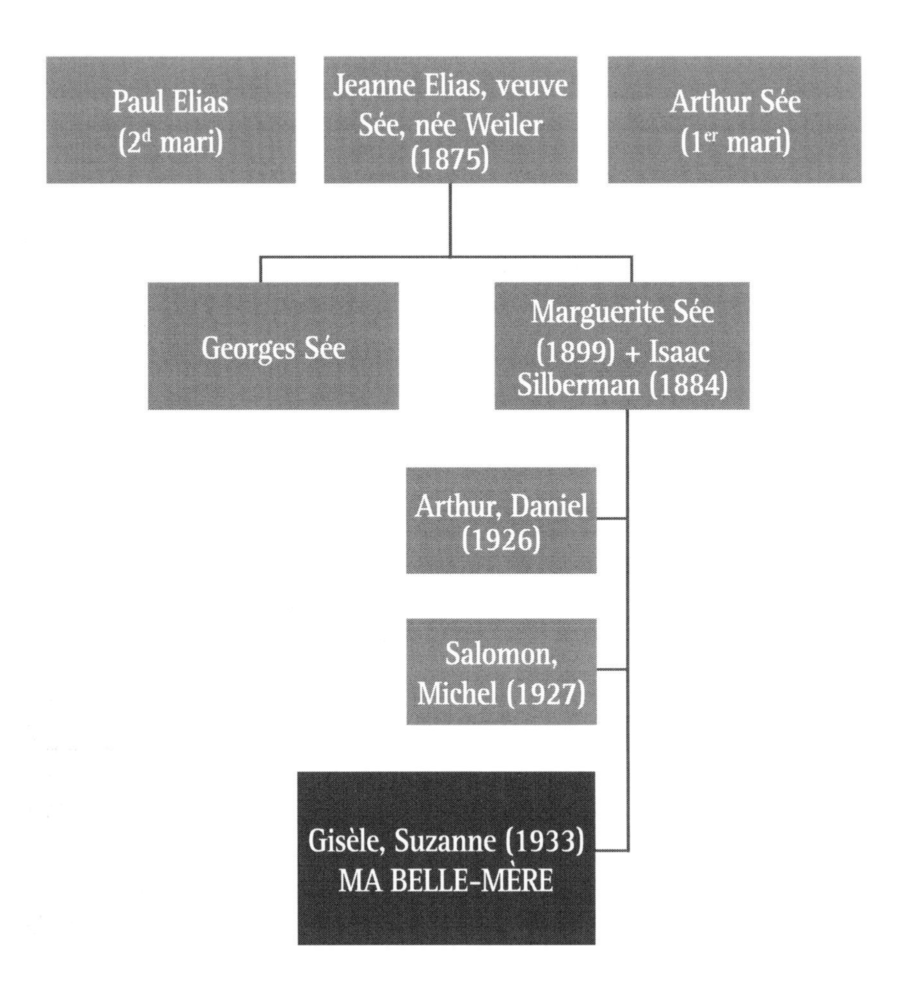
Paul Elias
(2d mari)
Jeanne Elias, veuve Sée, née Weiler (1875)
Arthur Sée
(1er mari)
Georges Sée
Marguerite Sée (1899) + Isaac Silberman (1884)
Arthur, Daniel (1926)
Salomon, Michel (1927)
Gisèle, Suzanne (1933)
MA BELLE-MÈRE

Seconde partie
La famille Silberman

A partir de 1935, Isaac Silberman loue une petite maison à Trouville pour les vacances d'été. C'est là que son épouse et ses enfants séjournent de juillet à août en compagnie de leur grand-mère Jeanne...

Chapitre 9
1938 – Les vacances à Trouville - *Jeanne*

Jeanne est furieuse. Cela fait une heure qu'elle est arrivée à la gare St-Lazare et qu'elle attend son idiot de gendre. La petite Gisèle, qu'elle tient par la main, elle aussi s'impatiente. « *Mais que font Papa et Maman ?* » « *Je ne sais pas ma chérie, ton père est toujours en retard, cela en devient épuisant !* » Il faut dire qu'en ce début d'après midi, le premier juillet, il commence a faire très chaud dans ce grand hall de gare où se pressent les Parisiens avides de vacances au bord de la mer, libérés par les congés payés.

Quel brouhaha ! On se bouscule de partout, cela crie, cela siffle ! Et puis, cette vapeur des locomotives qui humidifie l'atmosphère déjà rendue moite par les premières chaleurs de l'été... C'est vraiment insupportable. Jeanne Elias, née Weiler, "Veuve Sée" comme on disait à l'époque, est tirée à quatre épingles selon son habitude. Malgré ses soixante-trois ans, elle se tient droite, fière, et porte son grand chapeau des belles occasions. Elle est délicatement maquillée, ses longs cheveux blonds soigneusement coiffés et regroupés dans un chignon impeccable. Elle a mis son fameux tailleur vert opale de chez Dior et bien sûr ses chaussures à talons afin de pouvoir toiser n'importe qui, en particulier le gendre que la vie lui a imposé mais qu'elle a toujours considéré comme un étranger mal lavé et mal éduqué. Si seulement elle n'avait pas eu besoin d'argent ! Elle aurait pu attendre et offrir sa fille à un Français plus cultivé et plus important encore : raffiné.

Mais elle n'a pas eu le choix. Les décès successifs de ses deux maris, Arthur Sée, emporté par une pneumonie juste après la Grande guerre et Paul Elias par une crise cardiaque en 1924, l'ont laissée sans le sou. Elle était trop habituée à mener grand train, surtout grâce à son second mari, Paul, avec qui elle avait emménagé dans un magnifique appartement des quartiers chics de la capitale. Il avait fallu se résigner et trouver un beau et riche parti pour Marguerite, sa fille cadette, tout juste vingt-cinq ans qui avait tous les atouts pour un mariage réussi. Il en allait de sa survie ! Malheureusement, le temps pressait et elle ne pouvait pas trop faire la difficile. Son amie Sarah Friedlander, marieuse de son état, et très réputée dans les milieux juifs de Paris, lui avait promis de trouver ce qu'on appelle "la perle rare".

Perle rare ! Elle se souviendra toute sa vie du premier rendez-vous organisé sous les lambris du restaurant *Le Train Bleu* au premier étage de la gare de Lyon. C'était le quinze décembre 1924. Il faisait déjà un froid perçant et la nuit avait enveloppé la ville dès seize heures. Jeanne était arrivée avec Sarah et Marguerite en avance, car il fallait pouvoir s'installer à une belle table pour l'occasion. Le maître d'hôtel les avait conduites au fond du restaurant face à la grande baie vitrée qui donnait sur la place de la gare et sous un magnifique lampadaire scintillant de tous ses feux. Marguerite était plus belle que jamais, avec ses grands yeux bleu turquoise que Sarah avait rehaussés d'un maquillage subtil. Elle portait une belle robe blanche et rose à volants. Jeanne était ravie ! Vers dix-neuf heures, le maître d'hôtel conduisit le fameux Isaac Silberman à la table de ces dames. Il leur fit le baisemain, habituel dans de telles occasions. Isaac n'était pas d'allure vilaine et ses yeux noisette brillaient d'un éclat malicieux, derrière de fines lunettes rondes. Néanmoins, cet Isaac présentait deux défauts majeurs : pour commencer il avait quinze ans de plus que Marguerite et par-dessus le marché était un étranger tout juste tombé du train. Le repas se déroula sans encombre malgré la difficulté qu'avait Jeanne à entretenir une conversation soutenue avec celui qu'elle considérait comme un rustre. Isaac était arrivé de sa Roumanie natale après la grande guerre, pour refaire sa vie à Paris. Il avait voulu « franciser » son nom qui était à l'origine *Argentarum* par « Silberman ». Quelle idiotie, pensait Jeanne !

Puis, il s'était mis au travail et, vraisemblablement, devait avoir le sens du commerce. Il avait ouvert en 1922 une horlogerie-bijouterie, *Au Cadran* au 29 rue Vieille-du-Temple et s'était spécialisé dans la réparation des montres, horloges et bijoux. Les affaires lui avaient souri et il possédait maintenant un commerce qui lui rapportait suffisamment de liquidités pour enfin fonder une famille.

Évidemment, Marguerite lui avait tout de suite plu : son sourire, sa fraîcheur le ravissaient. Isaac ne lui déplaisait pas non plus. Malgré son accent et ses manières campagnardes, elle aimait cette force de caractère qui émane de tout émigrant qui travaille dur et ce mystère qui entourait sa vie d'avant aux confins de l'Europe. Et puis, surtout, il était si drôle ! Qu'est-ce qu'elle avait ri quand, vers la fin du repas, il s'était saisi du rince-doigts et l'avait vidé cul-sec ! Il avait du croire qu'il s'agissait de quelque eau de vie afin de se rincer le gosier avant le dessert. Jeanne n'avait pu s'empêcher de laisser échapper un cri d'horreur! Marguerite avait éclaté de rire et lui avait expliqué sa méprise. Il s'était répandu en excuses et son air penaud l'avait encore amusé par dessus tout. Le lendemain, Isaac avait demandé à revoir Marguerite pour prendre un café. Jeanne n'était pas du tout convaincue, mais Sarah -la marieuse- avait vaincu la résistance maternelle en lui détaillant... les capacités d'Isaac à amasser de l'argent. Comme horloger-bijoutier, il avait excellente réputation ; sa clientèle était fidèle et son affaire - à ce que tous disaient- ne faisait que prospérer. De plus, il amusait sa fille. Finalement que demander de plus ? A contrecœur, Jeanne s'était donc résignée à cette union, qui fut scellée le vingt-cinq juin 1925 à la Mairie du XXe arrondissement et célébrée en grande pompe à la synagogue de la Victoire.

D'ailleurs, comme le lui rappelait souvent Sarah, Jeanne n'avait rien à regretter de cette union arrangée. Tout d'abord, Isaac et Marguerite lui avaient donnée trois adorables petits enfants, Daniel en 1926, Michel en 1927 et enfin la petite Gisèle née en 1933. Ensuite, comme l'avait très bien prédit la marieuse, Isaac avait la bosse du commerce et depuis son mariage avec Marguerite, survenait tout seul aux besoins de toute la famille. Isaac avait emménagé avec Marguerite dans un beau trois pièces rue du Cambodge, dans le XXe arrondissement, près de la place Gambetta et avait loué pour Jeanne un charmant deux pièces rue des Gâtines, à deux pas de leur appartement. La seule chose qu'il demandait en retour était que Jeanne aida Marguerite à s'occuper de ses enfants en bas âge. Ce n'était pas pour déplaire à Jeanne qui adorait les enfants, et en particulier la petite Gisèle dont elle s'occupait à plein temps depuis sa naissance. En fait, elle avait quasiment pris la place de sa mère dans l'éducation de la petite. Gisèle avait sa chambre dans l'appartement de sa grand-mère et passait l'intégralité de son temps libre avec cette grande dame qu'elle vénérait. Aujourd'hui, à cinq ans, elle savait déjà lire grâce aux nombreuses lectures que Jeanne lui prodiguait chaque soir.

Enfin, depuis l'été 1935, Isaac louait pendant les mois de juillet et d'août une petite maison à Trouville, à quelques encablures du front de mer. Jeanne y passait de merveilleuses vacances avec Marguerite et les enfants. Jeanne adorait Trouville, son marché aux poissons, ses petites rues étroites, la douceur du temps, ni trop chaud, ni trop froid. Et puis, il y avait la plage, où Isaac réservait bien sûr une tente pendant deux mois avec des chaises longues et une vue imprenable sur la mer. L'emplacement était idéal, pas trop loin du marchand de glaces et au premier rang, ce qui lui permettait de surveiller les enfants qui adoraient patauger dans les flaques d'eau laissées par la marée descendante, ou construire un château de sable imprenable qui, censé résister à la marée montante, finissait inexorablement avalé par les flots.

Jeanne avait ses habitudes et s'était liée d'amitié avec ses voisins de tente, un jeune couple d'Allemands qui, comme elle, venait chaque été accompagné de leur fils, un garçon de l'âge de Daniel. Eux au moins, ils étaient raffinés ! Le mari parlait un français presque parfait et son épouse adorait les parties d'échecs, un jeu que Jeanne affectionnait par-dessus tout. Ils ne parlaient jamais de politique, car Jeanne voulait éviter tout sujet sensible et ne comprenait pas comment des gens si polis et distingués pouvaient supporter la politique extrême du 3e Reich. Jeanne adorait ces deux mois d'été où elle retrouvait l'air vivifiant de la mer et passait de longues journées avec Marguerite et ses petits-enfants qu'elle chérissait tant.

Cela fait de longues minutes que Jeanne attend... Enfin, elle aperçoit son gendre. Essoufflé comme à son habitude. Mais heureusement accompagné de Marguerite et de ses deux garçons.

Elle le regarde de haut, avec quelque dédain puis entre dans une de ses colères froides dont elle seule a le secret. « *Isaac, quand cesserez-vous donc d'arriver en retard, c'est insupportable ! Votre petite Gisèle meurt de chaud, et nous n'avons même pas nos billets de train ! Mais sans doute auriez-vous oublié de les acheter ?* »

Bien qu'exaspéré par la manière condescendante dont Jeanne a pris l'habitude de s'adresser à lui - Isaac qui paye désormais tout et pour tous ; il s'excuse platement en expliquant qu'une urgence l'a retenu, les affaires primant sur le reste... et sort les fameux billets de train de sa poche et les tend à Jeanne. Le train va partir dans dix minutes. Il s'agit donc de se dépêcher. Toute la petite troupe se lance dans une course échevelée et attrape de justesse la porte du wagon. Isaac les aide à s'installer et surtout charge dans le wagon les trois grosses valises qui les accompagnent. Ils trouvent leur compartiment et s'installent gaiement sur les banquettes. Isaac a tout juste le temps de s'échapper sous le regard réprobateur du contrôleur annonçant que le train va prendre le départ. Il se retrouve seul sur le quai, soulagé de voir sa famille (et surtout sa belle-mère...) s'éloigner tandis que Daniel et Michel lui envoyent des floppées de baisers en faisant de grands gestes d'adieu à la fenêtre du compartiment.

Ces vacances à Trouville tellement attendues peuvent désormais commencer. Jeanne respire.

La ligne de démarcation était une véritable frontière qui coupait la France en deux. Son franchissement donnait lieu à des contrôles d'identité très stricts.

Chapitre 10
1942 - Traqués à Paris - *Daniel*

L'attente est insupportable. Daniel se tient collé contre la voûte blanche recouverte de faïences. En ce milieu de matinée, la foule à la station de métro Hôtel-de-Ville s'est raréfiée. Malgré la chaleur de ce mois de juillet, il a froid, il est pétrifié, peine à respirer. Daniel n'ose pas bouger, il attend. Sa casquette bien enfoncée sur la tête afin qu'on ne le reconnaisse pas ; il est aussi vêtu d'un chic veston à carreaux. Ne pas se faire remarquer... Surtout, ne pas se faire remarquer !

A sa main, un petit cartable en cuir brun, usé par le temps. Dedans, il a emporté quelques-uns de ses livres préférés. Il ne porte plus son étoile jaune, cousue sur la poitrine. Quelques jours auparavant, M. Collet le commissaire de police de la place Gambetta, grand ami de la grand-mère Jeanne est venu leur rendre visite. Oh pas juste pour le plaisir, mais plutôt pour les prévenir d'une nouvelle effroyable : "*Quelque chose se prépare. Quelque chose de terrible...*"

Dans l'après-midi, il avait prévenu Isaac à sa boutique rue Vieille-du-Temple "*Je passerai chez vous ce soir, disons vers vingt heures chez vous*". Tous écoutaient le commissaire Collet, Marguerite, Isaac, Jeanne et même Daniel, qui du haut de ses seize ans avait maintenant l'autorisation de participer aux discussions d'adultes. Seul manquait Michel qui, dans la chambre d'à-côté, surveillait sa petite sœur Gisèle...

« *Monsieur et Madame Silberman, Madame Elias, je dois vous avouer qu'une chose terrible se prépare* » avait-il chuchoté tout en caressant de ses mains la tasse de thé bouillante que Marguerite lui avait versée. « *Je dois insister: vous n'êtes plus en sécurité, ici à Paris. Une grande*

opération est en préparation pour rafler les Juifs et les remettre aux Nazis. Vous êtes sur les listes. Vous, la famille Silberman ! Ce n'est pas le cas de Madame Elias, française de souche, que j'ai pu enlever de la liste, mais pour vous c'est impossible, Monsieur Silberman, vous êtes considéré comme un étranger ! Vous devez partir tout de suite pour vous mettre en lieu sûr. Vous ne devez parler de cela à personne. Ma vie en dépend. Je n'admets pas cette terrible situation, mais en même temps je ne peux rien y faire. Dans quelques jours, je devrai revenir rue du Cambodge pour vous arrêter ! Je vous en supplie, partez !...* »
Jeanne n'avait pas bougé, mais ses grands yeux bleus avaient laissé échapper de fines larmes qui descendaient doucement le long de ses joues. Marguerite était demeurée stoïque, dans l'impossibilité de dire un mot, pétrifiée par ce qu'elle venait d'entendre. Isaac était lui aussi resté très digne, bien que bouillonnant de colère. Comment le pays des droits de l'homme pouvait-il à ce point sombrer et accepter l'inacceptable, arrêter ses enfants et les livrer à l'ennemi ? « *Vous êtes sûr, Commissaire, de ce que vous avancez, devons-nous vraiment partir ?* » avait-il demandé avec cet accent roumain si caractéristique. « *Oui, Monsieur Silberman, c'est pour cela que je suis venu vous voir en personne, pour vous prévenir. Je vous aime bien, et ne peux supporter de vous voir comme cela arrêtés avec votre famille alors que vous n'avez commis aucun crime! Maintenant, je dois me retirer, personne ne doit savoir que je suis venu ici. Adieu !* » Il s'était levé, avait chaleureusement pris dans ses bras Isaac, Jeanne et Marguerite, remis son pardessus et son chapeau, puis avait pris congé.

Pour Isaac, ce moment tant redouté était donc arrivé. Heureusement, il avait concocté depuis quelques mois une stratégie. Tout d'abord changer ses avoirs en diamants qu'il savait pouvoir dissimuler facilement dans le revers de son veston. Puis il avait loué, grâce à des amis, un appartement à Nice au 57 rue de la Buffa. Il avait contacté une amie,

---

** Il s'agit vraisemblablement de la rafle du Vel' d'Hiv. Ce fut la plus grande arrestation massive réalisée en France pendant la Seconde Guerre mondiale, essentiellement de Juifs étrangers ou apatrides réfugiés en France. Le régime de Vichy mobilisa la police pour participer à l'opération : à Paris, 7 000 policiers et gendarmes raflent les Juifs. Le 17 juillet, en fin de journée, le nombre des arrestations dans Paris et la banlieue était de 13 152 dont 4 115 enfants. Moins de cent personnes, dont aucun enfant, survécurent à la déportation. (source Wikipedia)*

Madame Blum, à qui il avait demandé de garder la boutique au cas où il devrait partir précipitamment. Il lui avait même confié en liquide une large somme d'argent afin qu'elle puisse continuer à payer les loyers de son commerce. Ensuite, il s'était renseigné de façon très détaillée sur les différentes possibilités de passer la ligne de démarcation. Ce serait près d'Angoulême ou de Châteauroux. Des passeurs y permettaient, lui avait-on dit, un passage sans inconvénients.

Mais la clé d'une telle fuite était de le faire rapidement sans mettre en courant le voisinage, et surtout cette satanée gardienne d'immeuble, pipelette invétérée, qui ne lui avait jamais caché son dédain des étrangers comme lui, malgré les bonnes attentions que lui portait Marguerite. Il fallait aussi se séparer. Il partirait dès le lendemain. Marguerite, Daniel et Gisèle le rejoindraient dans deux jours. Quant à Michel, il profiterait d'un voyage prévu en colonie de vacances pour passer la ligne avec ses camarades. Ils n'emmèneraient chacun qu'une toute petite valise ou un sac avec le minimum vital afin de ne pas éveiller de soupçons. Jeanne, qui n'était pas sur la liste, resterait encore quelques jours pour ranger les appartements rue du Cambodge et rue des Gâtines, puis les rejoindrait rapidement. Du haut de son grand âge, avec ses airs de vieille dame aristocratique française, elle ne pensait pas avoir trop de difficultés à voyager en trompant la vigilance des soldats allemands.

C'est pourquoi à cet instant, Daniel se trouve seul dans la station du métro Hôtel de Ville. Attendant la rame pour la gare de Lyon, où il descendra et rejoindra à pied, en traversant la Seine, sa mère à la gare d'Austerlitz pour finalement prendre le train vers Angoulême.

Ne pas se faire remarquer, surtout ne pas se faire remarquer !

Le métro arrive enfin dans un vacarme assourdissant. Après le cri strident de ses freins, il s'immobilise devant lui. Daniel se dirige lentement, mais sûrement vers un wagon du milieu, soulève le loquet et entre feignant de ne pas prêter attention aux passagers déjà installés. Cela faisait plusieurs semaines qu'il ne s'était pas assis dans un tel wagon, depuis ce détestable incident début juin. Étourdi comme à son habitude, en retard pour rejoindre la Maison Palazzi, rue Rambuteau, où il était apprenti bijoutier, il était entré par erreur dans ce wagon du milieu qui était interdit aux Juifs. Lorsque le métro était reparti pour la station suivante, un grand officier allemand s'était approché de lui, l'avait toisé méchamment puis attrapé par le collet. « *Jude !* », avait-il vociféré, « *tu n'as pas le droit d'être ici* ». Et sans ménagement, il l'avait empoigné pour l'expulser du wagon dès la station suivante. Au moment de descendre, Daniel avait croisé le regard d'une dame très bien habillée avec un grand chapeau, qui l'avait fusillé de ses petits yeux noirs en lui criant : « *C'est bien fait pour vous !* » Quel dégoût il avait éprouvé alors envers cette étoile jaune qu'on lui faisait porter depuis l'ordonnance allemande du 29 mai 1942 !

Il avait senti monter cet antisémitisme rampant au cours de son adolescence. Cela avait commencé par des remarques désobligeantes de ses camarades à l'école communale rue Henri Chevreau, puis il avait dû repousser les attaques brutales du grand Didier qui le traitait de sale Juif et qui un jour l'avait cogné durement dans la cour, ce qui les avait conduits tous les deux dans le bureau de Monsieur Sonnet, le directeur.

Depuis l'Armistice et les lois scélérates du Maréchal Pétain, cela avait empiré. Il ne pouvait plus aller au square Édouard Vaillant en face de l'Hôpital Tenon, près de son appartement rue du Cambodge. Il adorait cet espace de verdure et de tranquillité où il pouvait rêver, écouter le petit orchestre qui se réunissait à dix-huit heures sous le kiosque à musique. Et puis il y avait Denise, sa camarade de classe qu'il adorait depuis qu'il l'avait rencontrée en quatrième. Sa fraîcheur, ses yeux noisette, son sourire charmant l'avaient envoûté. Elle était si vive, si intelligente ! Avec elle, il pouvait refaire le monde, se moquer des professeurs, passer des heures à parler de tout et de rien. Enfin, en troisième, juste avant le brevet, il y avait eu ce moment magique, où assis sur un des bancs du square, il lui avait pris la main et lui avait posé un doux baiser sur les lèvres.

Malheureusement, depuis les ordonnances de l'automne 1940, tout s'était envolé. Un vilain panneau avait été apposé sur la barrière de l'entrée du parc : « *Interdit aux Juifs !* » Il n'avait plus revu Denise, depuis le brevet qu'il avait passé en juillet 1940 et son entrée en apprentissage dans la Maison Palazzi. Elle devait sans doute être effrayée par ces Juifs qu'on s'acharnait à tant décrier.

Enfin le métro arrive à la station Gare de Lyon. Daniel en sort, monte aussi tranquillement que possible les escaliers puis se retrouve à l'air libre boulevard Diderot. Il évite de croiser les regards, surtout ceux des soldats allemands. Il marche lentement le long du pont d'Austerlitz, jetant un coup d'œil rapide sur la magnifique vue qu'offrent Paris et la Seine. Quand pourra-t-il revenir ici ? Il ne le sait pas et l'angoisse de l'inconnu l'étreint de plus en plus fort.

Ne pas se faire remarquer... Surtout, ne pas se faire remarquer !

Arrivé rive gauche, il oblique vers la gare d'Austerlitz et presse le pas pour gravir les marches qui le conduisent vers la hall de la gare. Maintenant, il doit retrouver Marguerite, sa mère, qui l'attend sous la grande horloge. Ouf ! Il l'aperçoit enfin ! Elle est là, tenant par la main la petite Gisèle. Elle n'a emporté avec elle qu'un petit bagage à main, pour ne pas éveiller l'attention. Comme ils se l'étaient dit, ils ne s'approchent pas l'un de l'autre, mais se dirigent maintenant vers le train en partance pour Angoulême. Sa mère passe près de lui et lui donne son billet sans un mot. Ils montent dans le même train, rempli de gendarmes allemands. Quel effroi ! Daniel ne trouve pas de place et décide de rester dans le couloir pendant que Marguerite et Gisèle, elles, ont pu s'asseoir dans le compartiment d'un wagon voisin au sien.

Daniel cherche à calmer son angoisse en se plongeant dans l'une de ses lectures préférées : *Les Misérables* de Victor Hugo. C'est un beau livre, merveilleusement écrit, qui lui permet de s'évader un petit peu. Enfin, le train se met en mouvement et commence à rouler lentement. Le contrôleur passe et poinçonne sans mot dire son billet. Daniel n'est pas religieux et ne sait pas prier. Il ferme longuement les yeux, se demande où l'avenir le conduira et si la peur qui le submerge maintenant le quittera un jour.

CARTE POSTALE

POITIERS R.P.
11 30
5 VIII
1942
VIENNE

1F20

EXPÉDITEUR

DESTINATAIRE

Cette carte envoyée le 1er août 1942 est bouleversante : la grand-mère de Gisèle, alors âgée de 68 ans, raconte avoir été arrêtée à moins de 10 m de la ligne de démarcation qu'elle tentait de franchir...

Chapitre 11
1942 - La disparition de Jeanne Elias - *Marguerite*

« Deux mots pour vous dire que je change d'endroit pour une station inconnue. Ne soyez pas inquiets si vous ne recevez pas de lettre pendant un certain temps – prévenez mes enfants et tout mon entourage – sitôt que je pourrai, je vous enverrai un mot. Je suis dans le plus grand chagrin et bien malheureuse que l'on s'occupe sérieusement de moi. Embrassez bien tous les miens et prévenez Margot au plus tôt. Je crois que je deviens folle. Il y a de quoi. N'envoyez rien jusqu'à nouvel ordre. On a libéré jusqu'à 70 ans – Malheureusement, j'en ai que 68. Que Georges se démène, je l'en supplie. Votre bonne amie et mère ».

Marguerite n'en finit pas de relire ces mots écrits à l'encre bleue en pattes de mouches par Madame Blum. Cette dernière qui lui sert de liaison à Paris, a retranscrit sur une carte postale les dernières paroles qu'elle a reçues de Jeanne du camp de Pithiviers. Marguerite se sent seule dans leur nouvel appartement rue de la Buffa à Nice. La belle lumière de décembre qui se reflète dans l'immeuble d'en face, inonde le salon salle-à-manger où elle est attablée, relisant sans cesse cette carte envoyée le 27 septembre 1942. Elle s'abandonne à la relecture des derniers mots de sa mère.

La petite Gisèle lit tranquillement dans la chambre d'à-côté une édition abrégée des *Misérables* de Victor Hugo. Daniel lui a offert ce roman pour son anniversaire. « *C'est mon livre préféré, tu verras, tu adoreras,* » lui avait-il dit. « *C'est une belle histoire, celle d'un homme très malheureux mais avec un très grand cœur !* » Elle est arrivée à la partie qui lui plaît tant, quand Jean Valjean saisit la main de Cosette pour l'aider à rapporter son seau plein d'eau du puits. Elle est tout absorbée dans la lecture de ce merveilleux récit et n'entend pas sa mère sangloter. Les garçons sont de sortie à la plage et Isaac est affairé avec des amis au café pour essayer de trouver le moyen de mieux monnayer ses diamants et ainsi assurer la survie de sa famille jusqu'à la fin de la guerre.

Où est Jeanne ? Où l'ont-ils emmenée ? Pourquoi ne donne-t-elle pas de nouvelles ? Marguerite devient folle. Pourtant, tout avait si bien commencé dans leur fuite vers la zone libre ; ils avaient même eu beaucoup de chance.

Isaac était passé de son côté, le premier, sans problème dans les environs de Châteauroux, soudoyant les uns et les autres avec quelques diamants. Séparément, comme prévu, Michel avait passé la ligne de démarcation avec son école qui devait se rendre en colonie de vacances dans le sud de la France. Le train, rempli de joyeux adolescents, s'était bien arrêté au poste frontière de Châlons-sur-Saône. Mille gamins avaient du descendre au petit matin au bas du train pour subir l'inspection des autorités allemandes. Michel s'était aligné comme les autres sur trois files en rang d'oignon, son « Ausweis » en main, attendant fébrilement d'être interpellé. L'officier allemand, avec le regard sévère de circonstance, était passé lentement à son niveau, vérifiant les papiers de son voisin de gauche puis de derrière, croisant le regard fier de Michel, le fixant pendant quelques secondes puis avait décidé de continuer son inspection sans demander ses papiers à Michel.

Michel avait retenu son souffle car il savait que son patronyme inscrit sur son *Ausweis*, Salomon Silberman, Michel n'étant que son deuxième prénom, n'aurait laissé aucun doute sur son origine juive. Etaient-ce son grand regard bleu et ses mèches blondes qui lui donnaient l'air aryen, la lassitude de l'officier allemand qui ne voyait pas l'intérêt de contrôler tous les enfants ou tout simplement la chance qui avaient fait basculer l'avenir de Michel du côté de la vie ? Michel, qui parle encore aujourd'hui de « macabre loterie », quand il se remémore cet incident, ne le saura jamais. En tout état de cause, au moment même où l'officier allemand négligeait de lui demander ses papiers, il avait aperçu du coin de l'œil une petite fille située à quelques wagons de lui, se faire arrêter par un autre officier allemand et se faire emmener sans ménagement vers les baraquements du poste frontière. Après cet épisode effrayant, Michel était remonté dans son wagon et le train avait poursuivi sa route sans incident en zone libre vers Nice.

Pour Marguerite, Daniel et la petite Gisèle, cela n'avait pas été aussi simple. Le train avait quitté la gare d'Austerlitz et s'était dirigé lentement vers Angoulême. Marguerite avait dû supporter pendant tout le trajet ces quatre militaires allemands assis dans le même compartiment qui parlaient et s'esclaffaient de façon très grossière. Elle avait peine à cacher son inquiétude pour sa famille, surtout pour Daniel qu'elle savait accroupi quelque part dans le wagon d'à-côté. Elle avait trompé son angoisse en se plongeant dans la fabrication d'une écharpe de laine dont elle seule avait le secret. C'était un passe-temps utile qu'elle affectionnait particulièrement et qui lui permettait de ne pas avoir à regarder ses fâcheux compagnons de voyage et leur montrer le dégoût qu'ils lui inspiraient. Pendant ce temps, Gisèle s'était plongée dans la lecture du *Dernier des Mohicans* illustré. Elle adorait ces histoires d'Indiens d'Amérique qui la faisaient rêver. Du haut de ses neuf ans, elle se rendait bien compte que quelque chose ne tournait pas rond mais elle ne comprenait pas tout à fait. Ces soldats allemands qui lui faisaient des clins d'œil et qui parlaient si fort l'amusaient plutôt.

Enfin, après plus de huit heures de voyage, les wagons s'immobilisèrent en gare d'Angoulême. Marguerite ne traîna pas pour descendre sur le quai ; elle arracha Gisèle à ses rêveries et gagna rapidement le café de la gare où elle devait retrouver Daniel. Ouf ! Il était là, blême, son petit cartable à la main. Sans effusion, ils se retrouvèrent et se dirigèrent vers l'auberge de *L'Oiseau Bleu* à la lisière de la ville où ils devaient passer la nuit. Normalement, Isaac avait tout arrangé. Il avait, par ses réseaux d'amis, fait parvenir les sommes suffisantes au propriétaire de *L'Oiseau Bleu*, Monsieur Reynard, afin qu'il prenne en charge Marguerite, Daniel et Gisèle. Ce dernier les avait accueillis avec bienveillance et pour la première fois depuis deux jours, ils se sentaient mieux, réchauffés par le bon pot-au-feu que Madame Reynard avait préparé.

Le lendemain, ils s'étaient levés tard puis s'étaient préparés pour la grande aventure qui les attendait. Madame Reynard les avait conduits dans une ferme voisine où, dans la grange, ils avaient rejoint un petit groupe de trente personnes, surtout des femmes et des enfants, qui comme eux avaient décidé de passer la ligne. Vers minuit, le passeur était venu les chercher et ils avaient entrepris leur périple sur les chemins de campagne. C'était une nuit sans lune et il fallait faire particulièrement attention car on ne voyait pas grande chose. Seules des formes noires ondulant au gré du vent signalaient les rangées d'arbres qui bordaient les champs. Bien qu'il ne fît pas froid en cette nuit de juillet, Gisèle et Daniel tremblaient. Leurs souliers les faisaient souffrir. Les chemins étaient détrempés par l'orage de la veille et la boue collait aux pieds. Soudain, à l'approche d'une route goudronnée, le passeur les avait sommés de s'allonger dans le fossé ; il avait repéré au loin une patrouille de soldats allemands à moto. Les deux *Feldgendarm* étaient passés sans rien remarquer. La petite troupe, guidée par le passeur, avait ensuite repris sa progression difficile.

Vers quatre heures du matin, ils avaient atteint la commune de Bouex, le dernier village avant la ligne de démarcation. Il fallait faire vite car dans deux heures le jour se lèverait. Ils progressaient maintenant en file indienne le long d'un chemin forestier qui traversait les bois qui les séparaient du village de Vouzan de l'autre côté de la ligne. On n'y voyait vraiment plus rien et ils devaient se tenir tous par la main. Le passeur avançait lentement, arrêtant le groupe en file indienne tous les quarts d'heure afin d'écouter le bruit de possibles patrouilles. Marguerite, Daniel et Gisèle se tenaient fermement par la main, le cœur pétri d'appréhension, espérant que cette équipée sauvage et terrifiante se terminerait le plus vite possible. Tout à coup une clairière apparut. C'était en fait une travée percée à travers la forêt qui marquait la ligne. Le passeur l'inspecta longuement puis décida que le moment était propice et fit franchir la clairière rapidement à la petite troupe. Daniel remarqua les poteaux rayés aux couleurs allemandes, rouge, blanc et noir, qui, espacés de quelques mètres, s'étendaient à perte de vue au milieu du sillon creusé dans les bois. « *C'était donc cela, la ligne tant redoutée, même pas de protection, et pas un barbelé !* » pensa Daniel. Ils se retrouvèrent rapidement de l'autre côté et continuèrent rapidement leur progression dans la forêt.

Les derniers kilomètres avaient été les plus durs. Les jeunes enfants du cortège étaient épuisés. Certains sanglotaient sans faire de bruit ou grimaçaient de douleur. L'aube commençait à poindre et il ne fallait pas se faire attraper par les douaniers français qui se faisaient un malin plaisir, eux aussi, d'arrêter les Juifs en fuite pour les interner dans des camps en zone libre. Enfin, harassés, ils avaient atteint le bourg du Vouzan où d'autres fermiers les avaient accueillis et restaurés. Sauvés, ils étaient saufs ! Marguerite serra longtemps Daniel et Gisèle dans ses bras. Ils étaient fatigués mais heureux. Les conseils et les diamants d'Isaac avaient été précieux et surtout il les avait mis dans les mains des bons passeurs. Le reste du voyage avait été bien plus tranquille. Ils avaient pris un bus pour Périgueux, puis un autre pour Toulouse, un troisième pour Montpellier et enfin un dernier pour Nice où ils avaient retrouvé Isaac et Michel dans ce magnifique appartement de Nice au 57 rue de la Buffa.

C'était un grand appartement bourgeois dans un bel immeuble en pierre de taille blanche qui faisait le coin de la rue de la Buffa et de la rue de Rivoli. Au deuxième étage, l'appartement était vaste, avec de hautes fenêtres qui donnaient plein nord, et il était inondé d'une lumière blanche qui se reflétait dans l'immeuble d'en face. Daniel et Michel avaient tout de suite adoré cet endroit. Il y faisait bon, la plage n'était qu'à une centaine de mètres. Il suffisait de descendre la rue de Rivoli et l'on se retrouvait sur la magnifique *Promenade des Anglais*, bordée de majestueux palmiers, juste en face de l'imposant hôtel Negresco qui semblait commander le bord de mer du haut de son large dôme rose et vert. Daniel et Michel couraient en direction de la plage tous les matins. Ils passaient de longues heures à flâner le long de la *Promenade* et admiraient les belles jeunes filles qui y promenaient leurs silhouettes fines, soulignées par des robes multicolores.

Ici, il n'y avait plus rien à craindre des Allemands : l'armée d'occupation de Nice était italienne, débonnaire et même assez ouvertement en faveur de la protection des Juifs, au grand dam de leur allié nazi. Quelle différence avec l'enfer parisien qu'ils avaient connu durant les mois précédents !

Malheureusement, malgré ces retrouvailles et le bonheur ensoleillé de Nice, l'ombre de la disparition de Jeanne planait sur la famille. Que s'était-il donc passé? Marguerite devenait folle, ressassant en permanence le cauchemar de ces affreux jours d'août. Pourtant tout était prévu. Jeanne devait passer la ligne de démarcation seule, suivant la filière empruntée par Marguerite et ses enfants, quelques jours auparavant. Or, contrairement à sa fille, quelque chose s'était passé et elle s'était fait prendre. Marguerite l'avait appris grâce à une carte postale envoyée par Jeanne le 1er août de la prison d'Angoulême qui décrivait son infortune : « *Prise à 10 m de la démarcation, j'ai été prise. Me voilà donc là, je ne sais pas jusqu'à quand, cela me tuera, car je crois ne pas pouvoir le supporter et quoi faire, je ne sais pas ce qu'ils feront de nous... Tu peux l'imaginer mon enfant, dans quel état je suis. Je voudrais que tu t'organises pour m'envoyer un colis, mais attends car je dois changer d'endroit. Je te le ferai savoir et tu l'enverras par express car il n'y a absolument rien à manger. Je ne sais quand je pourrai te revoir. Je vous embrasse bien fort, votre mère. Dis à ma petite Gisèle, que je l'embrasse.* »

Marguerite était désespérée. Quelle horreur ! Que faire ? Isaac avait tout de suite réagi et avait contacté Madame Blum à Paris. Il lui avait confié avant de partir des sommes importantes afin de continuer à payer les loyers de son appartement, celui de Jeanne et de sa boutique. Il fallait maintenant faire parvenir des provisions à Jeanne. Elle était âgée et ne pourrait pas tenir longtemps sur des lits de paille avec les maigres rations de la prison. D'ailleurs la deuxième carte reçue de Jeanne depuis la prison de Poitiers n'était guère rassurante : « *Tu as sans doute reçu ma carte où je te dis le malheur qui m'arrive, surtout que je ne sais quand ce sera fini. Il n'y a pas plus de considération pour les Français ou les gens âgés. Nous devons être déplacés du camp où je suis pour aller à Drancy. Tu te rends compte de ma vie, moi qui redoutais ça, il faut que je passe par là et tu sais, c'est épouvantable.* »

Elle allait donc se retrouver à Drancy, ce centre d'internement situé dans la banlieue est de Paris. La majorité des Juifs raflés en France passaient par là, sous la surveillance de gendarmes français placés eux-mêmes sous l'autorité des Allemands. On racontait que les internés y vivaient dans des conditions exécrables et que le directeur du camp, un nazi psychopathe, affamait les prisonniers pour le plaisir. On racontait que des convois plombés partaient de la petite gare du Bourget-Drancy, avec à leur bord des milliers de prisonniers. Leur destination était l'Allemagne, sûrement dans des camps de travail épouvantables. Mais ce qui glaçait le sang de Marguerite, c'est que contrairement à ce qui se passait dans les camps d'internement français où l'on pouvait communiquer avec les prisonniers qui faisaient passer régulièrement des cartes postales, après leur expulsion vers l'Allemagne, plus rien. La communication était coupée. On disait même que ces camps de travail allemands étaient en fait de simples camps d'extermination. Partir là-bas, c'était aller à *Pitchipoï**...

Enfin, le 20 août était arrivée une carte de Jeanne en provenance de Drancy ; elle donnait de ses nouvelles et surtout ses coordonnées où l'on pourrait lui faire parvenir un colis : « *Ma Chère Enfant, seulement aujourd'hui je peux t'écrire. Une fois tous les 15 jours avec droit à un colis que tu devras me confectionner le mieux possible. Tu dois mettre sur le colis cette adresse UJIF, 20 bd de Belleville, Paris. A remettre à Madame Elias, Camp Drancy, Bloc 3, Chambre 4. Mets moi à manger le plus que tu pourras, car j'ai faim. Demande à ton entourage de t'aider et surtout écris à Simon mon cas et dis lui qu'il n'oublie pas sa tante. Tu peux mettre quelques tomates pas trop mûres, olives, fromages, fruits, conserves, etc.* »

Malheureusement, les nouvelles de sa santé n'étaient pas rassurantes : « *Je suis en ce moment à l'infirmerie. J'ai été si malade après cette catastrophe. On a cru que je faisais une congestion pulmonaire, et maintenant cela va un peu mieux. On me fait des massages. J'ai beaucoup de tension et je suis d'une maigreur inouïe ! Je pèse 50 kg. Tout cela dépend de mes soucis, enfin je suis bien malheureuse. Quelle catastrophe pour moi ! Marthe est avec moi, je crois te l'avoir dit. Je*

** Pitchipoï est le surnom qu'utilisaient les Juifs internés à Drancy pour désigner la destination inconnue, mystérieuse et redoutable, des convois de déportés, là-bas, quelque part, très loin « vers l'Est »... Ce terme serait un mot yiddish en usage chez les Juifs polonais, qui désignerait un tout petit hameau de rien du tout, et qui pourrait se traduire par « le Pays de Nulle Part », un endroit insignifiant ou imaginaire, ou plus trivialement « Le trou du cul du monde ». (source Wikipedia)* *ne peux m'étendre et j'espère te revoir bientôt. Ce que je te demande est surtout de vos nouvelles. Je pleure tous les jours, d'être loin de ma famille, moi qui me réjouissais de venir me reposer, et surtout que doit dire ma petite Gisèle. Je dois lui manquer.* »

Jeanne avait raison. La petite Gisèle la réclamait souvent. Elle ne comprenait pas pourquoi elle était séparée de sa Mamie adorée qui l'avait élevée jusqu'ici. Son parfum, ses airs de grande dame qu'elle admirait tant lui manquaient. Elle ne comprenait pas non plus pourquoi sa mère s'inquiétait tant et restait de longues heures à contempler ces cartes postales écrites par Mamie. Et puis pourquoi Mamie avait-elle été arrêtée par les policiers français ? Qu'avait-elle fait de mal ?

Marguerite avait beaucoup de difficulté à expliquer tout cela à sa petite fille de neuf ans. Grâce à Madame Blum, elle avait pu faire parvenir un grand colis de victuailles à Jeanne. Ensuite, elle avait appris son transfert au camp de Pithiviers mi-septembre et puis cette dernière carte du 27 septembre, et ensuite plus rien....

La lumière de l'après-midi s'efface lentement en cette courte journée de décembre. Marguerite essuie ses larmes. Il faut qu'elle se ressaisisse, elle doit s'occuper de Gisèle et soutenir Isaac dans cette épreuve. Elle entend Daniel et Michel monter les escaliers quatre à quatre, de retour de leurs escapades sur la *Promenade des Anglais*. Il va lui falloir préparer le repas du soir. Elle range méticuleusement la carte du vingt-sept septembre dans un petit cahier qu'elle glisse dans le tiroir du buffet. Où est Jeanne ? Ou l'ont-ils emmenée ? Pourquoi ne donne-t-elle pas de nouvelles ? Devant tant de questions sans réponses, Marguerite devient folle.

La toute dernière lettre écrite par Jeanne Elias depuis Drancy, le 18 août 1942. Elle y confie toute sa détresse : «... J'ai faim... dis-lui qu'il mette des tomates pas trop mûres, olives, fromage... On m'a tout pris mon argent... je suis d'une maigreur inouïe ! Je pèse 50 kg... » Rappelons que Jeanne Elias a alors 68 ans.

18 août mes chers enfants seulement aujourd'hui je
peux écrire 1 fois tous les 8 jours avec droit à 1 colis
que tu voudras me confectionner le mieux possible tu
dois mettre sur le colis cette adresse C J C F 120 Bd
de Belleville Paris je [illegible] remettre à Mme [illegible] camp Drancy
Bloc 3 chambre 4 [illegible] moi à manger le plus que tu pourras
car j'ai faim, demande à ton entourage de t'aider et surtout
écris à Simon mon cas et dis lui qu'il n'oublie pas sa tante
tu peux mettre quelques tomates pas trop mûres, olives fromage fruits
conserves etc. J'ai reçu un petit colis de Beaumanoir et des
vêtements et je l'ai chargé de correspondre avec toi pour avoir
[illegible] de vos nouvelles car on a pas droit à la [illegible]
[illegible] zone libre alors envoi [illegible] temps [illegible]
car les colis sont de deux en 15 jours, et elle pourra avec
ta correspondante me donner des détails sur vous tous
Je ne peux même pas écrire à Georges et cependant il doit
me faire une course dans les parages de tes voyages
qu'il faut que je le charge mais il faut que cela
soit sous enveloppe alors il n'y a que Beaumanoir qui
pourra le faire je voulais charger Léonie mais il paraît
qu'elle est au même point que moi cela n'est pas drôle
tu peux m'envoyer un petit mandat de 50 f pour
mes menus frais car on m'a tout pris mon argent
ceci tu peux l'envoyer [illegible] directement surtout entends
toi avec Mme Bleury et fais ce que je te dis ne m'oublie
pas tu peux dire à Georges de me joindre à ton colis
1 boîte de beurre stérilisé qu'il me devait pour tu m'en
enverras par petite quantité dans tes envois tout direct
sont par intermédiaire de [illegible] je suis en ce moment
à l'infirmerie j'ai été très malade après cette catastrophe
on a cru que je faisais une congestion pulmonaire
et maintenant cela va un peu mieux on me fait
des massages j'ai beaucoup de boutons et d'une maigreur
je pèse 50 k tout cela dépend de mes soucis [illegible] enfin je
suis bien malheureuse quelle catastrophe pour moi
Marthe est avec moi je crois te l'avoir dit je
ne peux m'étendre plus et j'espère recevoir bientôt
ce que je te demande et surtout de vos nouvelles
je pleure tous les jours d'être loin de ma famille [illegible]
qui me [illegible] de [illegible] me reposer et [illegible]
et [illegible] que dois dire ma petite [illegible] je [illegible]

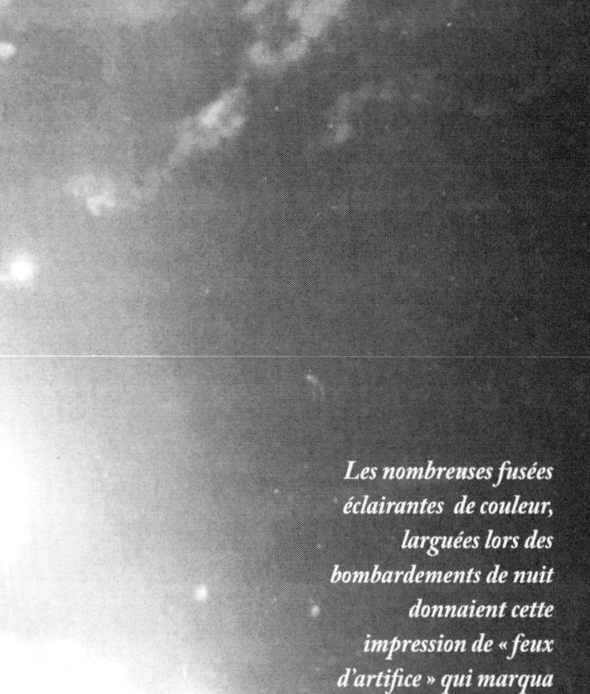

Les nombreuses fusées éclairantes de couleur, larguées lors des bombardements de nuit donnaient cette impression de « feux d'artifice » qui marqua tous les témoins.

Chapitre 12
La fuite - Juin 1944 - *Gisèle*

Ca y est, c'est décidé : ce soir, Gisèle a décidé de quitter cet enfer. Elle ne peut plus supporter cette maison ! Elle ne veut plus avoir affaire à ces monstres. Il est vingt-deux heures, les maîtres de maison sont allés se coucher. Gisèle s'est réfugiée dans la minuscule mansarde sous les toits qui lui sert de chambre. Elle prépare doucement sa petite valise car elle ne veut pas éveiller les soupçons. Elle plie ses quelques vêtements. Elle n'a pas besoin d'en emporter beaucoup car en ce début de mois de juin, il fait déjà chaud dans cette fermette située dans la commune de La Riche dans la banlieue ouest de Tours.

Elle tremble du haut de ses dix ans, car elle ne s'est jamais enfuie auparavant. Mais ce soir, elle est décidée, elle quittera la ferme et ses terribles habitants : Roger, l'horrible cocher de père qui lui a fait faire tant de corvées à l'écurie et l'a battue plusieurs fois à coups de ceinture ; son monstre de femme, Josette, antisémite jusqu'au bout des ongles, qui la considère comme un animal ; et enfin le pire : leur fils Fernand de vingt-deux ans, enrôlé dans la Milice, qui lui lance des regards cupides et lui met les mains aux fesses dès qu'il en a l'occasion. Elle les déteste du plus profond de son être. Elle sait qu'il n'y aura pas de « Jean Valjean » pour la sauver. Il faut qu'elle quitte d'elle-même la demeure des « Thénardier ». Elle le sait, quelque chose se prépare. On parle même d'un débarquement prochain des troupes alliées en France.

Bien que Fernand explique à tous que les Allemands vont repousser sans peine cette offensive, elle a compris dans les yeux apeurés de sa matrone que la France allait être libérée bientôt. Les nuits sont rythmées par le bruit strident de la sirène du village voisin et par la lueur des bombes alliées qui tombent au petit bonheur la chance sur les voies ferrées, en pleins champs, sur la mairie. Gisèle a beau n'avoir que dix ans, ces deux années de misère qu'elle vient de vivre l'ont fait mûrir à une cadence accélérée. Elle sent que la fin de la guerre est proche. A la lueur d'une bougie, elle range doucement ses petites affaires, sa poupée de chiffon qu'elle aime tant, son volume des Misérables qu'elle a relu tant de fois, son petit journal intime où, jour après jour, elle a confié son désarroi depuis cette funeste journée de septembre 1943 où les troupes nazies ont investi Nice.

En fait, depuis son arrivée à Nice un an plus tôt, tout s'était déréglé dans la vie de Gisèle. Elle avait perdu sa Mamie Jeanne tant aimée, embarquée par les Allemands pour travailler dans un camp en Allemagne. Elle l'avait attendue si longtemps... Ses caresses, sa voix douce mais autoritaire, son parfum envoûtant, ses chapeaux, ses lectures, tout lui manquait. Elle n'en pouvait plus de voir sa mère pleurnicher, chaque fois qu'elle recevait une carte postale de Paris qui lui confirmait que Jeanne n'était pas près de revenir de son camp de travail en Allemagne. Son père, elle ne le voyait jamais, trop préoccupé qu'il était à monnayer ses diamants pour faire survivre sa famille. Ses frères, n'en parlons pas, ils n'étaient que deux grands benêts qui passaient leurs journées à reluquer les filles sur la *Promenade des Anglais*. Elle aurait bien voulu aller à l'école, mais sa mère était trop dévastée, son père trop préoccupé pour faire les démarches nécessaires à son admission à l'école primaire. De plus, même si les Italiens étaient bienveillants, Isaac ne voulait pas attirer l'attention sur sa famille en inscrivant Gisèle à l'école au milieu du premier trimestre. Il avait donc décidé d'attendre la rentrée 1943 pour re-scolariser Gisèle.

Mais en septembre 1943, patatras ! Les Allemands remplacèrent les Italiens et la chasse aux Juifs recommença. Comme d'habitude, c'est Isaac qui décida de tout et trouva les combines pour protéger sa famille. Daniel, Michel, Gisèle, Isaac et Marguerite durent se séparer. Les garçons furent placés dans l'institut Catholique Don Bosco de Nice. Gisèle rejoignit un couvent de sœurs catholiques près de Cannes. Les parents se réfugièrent chez des amis non juifs de Nice. C'est donc ainsi que Gisèle se retrouva en début d'octobre 1943 confiée aux sœurs d'un couvent. Elle y passa six mois, le temps d'apprendre à détester tout ce qui ressemblait de près ou de loin à une croix pour le restant de ses jours. La mère supérieure était horrible. Elle criait tout le temps !

Heureusement, il y avait la sœur Alice qui s'occupait de sa chambrée et lui avait appris en cachette à réciter les prières du matin et du soir afin que personne ne soupçonnât son origine juive. Son nom n'était plus Silberman mais Gisèle Guilbert, comme l'attestaient les papiers que son père avait fait confectionner pour elle.

Elle détestait le couvent, tenu par cette mère supérieure si rigide. Tout la rebutait : les cours étaient dispensés par la sœur Caroline, qui leur bourrait le crâne de catéchisme incompréhensible, la nourriture de la cantine était infecte. Gisèle ne savait pas si cela était le résultat de la guerre ou la parfaite incompétence de la sœur aux cuisines, mais elle ne supportait plus ces soupes de rutabagas rabougris où nageaient quelques tranches de lard insipides. Même le pain sentait le rassis !
Sa seule lumière était la sœur Alice et ses deux petites copines de chambrée, Marie-Cécile et Salomé. Elle soupçonnait Salomé d'être juive comme elle, mais n'avait jamais osé lui poser la question, son père lui ayant formellement interdit de parler de sa religion d'avant. Car maintenant, elle avait un autre nom et était devenue catholique. Gisèle devait porter en permanence un collier où pendait une petite croix en or que son père lui avait donnée juste avant son entrée au couvent. « *C'est ton nouveau porte-bonheur !* » lui avait-il dit, mais elle avait compris à la larme qui coulait le long de sa joue qu'il mentait, que cette croix n'était qu'un faux-semblant pour lui faire oublier son origine juive et la cacher aux nazis et collabos.

Enfin, malgré sa détresse, elle avait fini par s'habituer à cette nouvelle vie de petite fille catholique abandonnée dans un univers féminin carcéral. Elle se réfugiait dans les quelques livres qu'elle avait emportés avec elle, en particulier son favori, *Les Misérables* de Victor Hugo. L'aventure de Cosette la fascinait. Elle s'était bien évidemment identifiée à cette figure centrale du roman. Comme elle, elle se trouvait enfermée dans un couvent, à l'abri du méchant « Javert » qui en ces temps-ci avait pris un accent allemand. Comme elle, elle se voyait y vivre plusieurs années jusqu'à sa majorité qui lui rendrait enfin sa liberté. Comme elle, elle n'était qu'une minuscule chenille que les nazis voulaient écraser, mais comme elle, elle le savait, un jour elle se transformerait en magnifique papillon resplendissant et elle rencontrerait son Marius avec qui elle organiserait un magnifique mariage. Malheureusement, son « Jean Valjean » n'existait pas et elle se sentait bien seule le soir dans son petit lit. Ses parents, surtout son père, étaient bien venus la voir quelquefois, mais les visites se faisaient de plus en plus rares et de plus en plus courtes. La mère supérieure était extrêmement méfiante et ne souhaitait pas que son père soit vu dans l'enceinte du couvent. Avec son accent d'Europe centrale, il faisait vraiment trop juif ! En ces temps d'occupation, la Milice fourrait son nez partout et était prompte à dénoncer toute institution soupçonnée d'héberger des enfants juifs.

C'est malheureusement ce qui se passa au mois de mars 1944. Un jour, une traction avant remplie de miliciens se présenta à l'entrée du couvent et la mère supérieure fut prestement arrêtée. Son adjointe paniqua et décida de renvoyer toutes les petites filles juives sur le champ. Isaac, prévenu par des amis, eût à peine le temps de venir chercher Gisèle, qui dût s'arracher une nouvelle fois à ses amies. Isaac avait donc dû trouver une autre solution pour cacher sa petite fille et eut l'idée de se tourner vers Georges, le frère de Marguerite. C'était un bandit, un filou, mais il était plein de ressources et ne refuserait sans doute pas de s'occuper de Gisèle en échange de quelques diamants. La difficulté était qu'il habitait loin, à Tours, mais Marguerite avait réussi à convaincre son frère de venir chercher la petite.

C'est ainsi que, début avril 1944, Gisèle fit la connaissance du « bandit » de la famille. Il avait une quarantaine d'années, portait beau et prenait soin de sa fine moustache. Il était marié à une bonne catholique et n'avait jamais fait état de ses origines juives. C'était le roi de la contrebande et, malgré sa haine des Allemands, il savait, grâce à ses dons pour le commerce illégal, profiter largement de l'Occupation. De Tours, où il résidait, il avait mis au point un commerce lucratif de produits fermiers de première nécessité (beurre, œufs, volaille, pain) à destination des Parisiens. Bien sûr, il faisait en sorte que l'occupant et la Milice le laissent tranquille en leur fournissant gratuitement ses meilleurs produits. Oh, ce n'était pas un mauvais bougre ! Il avait ravitaillé Jeanne lors de son court internement à Drancy en lui faisant parvenir un colis rempli d'œufs, de pain et de confitures. Il avait même essayé de la faire sortir en soudoyant la police, mais tout avait été trop vite. Il n'avait pu empêcher son transfert à Pithiviers puis sa déportation vers l'Allemagne.

Gisèle se vit donc « confiée » à l'oncle brigand qui promit à Isaac, contre une coquette somme en diamants, de bien s'occuper de la petite. Malheureusement, Georges n'avait ni le temps, ni la patience de s'occuper d'une gamine de dix ans. Au bout de quinze jours, il la confia à son ami, Roger, cocher de son état, qui vivait dans une ferme aux alentours de Tours. « C'est pour ton bien, ma petite », avait-il dit à Gisèle. « Tu verras, Roger est très gentil et puis tu seras plus en sécurité à la campagne, il n'y a pas d'Allemands ! » Sécurité, mon œil ! Roger était marié à une horrible Josette, dont la famille était antisémite depuis des générations, qui ne comprenait pas pourquoi son mari l'obligeait à cacher cette racaille de juive. Elle ne lui adressait quasiment jamais la parole et l'avait cantonnée au grenier.

Gisèle avait appris à ne plus pleurer, son cœur s'était refermé ! Elle vivait l'aventure de Cosette, mais à l'envers : du couvent, elle avait été envoyée chez les « Thénardier ». Comme Cosette, elle était réduite à l'état d'un petit animal de compagnie qui ne doit pas piper mot et obéir au doigt et à l'œil. Elle devait faire la vaisselle, nettoyer les sols de la salle à manger après les repas et s'occuper des chevaux à l'écurie. Malgré la puanteur du fumier, c'était auprès des chevaux qu'elle se sentait le mieux. Au moins, eux ne criaient pas et la comprenaient. Elle aimait surtout Bob, un bon cheval de trait gris et brun ; il se laissait caresser longuement et avait de beaux et grands yeux langoureux. Gisèle aurait peut être supporté cette vie misérable jusqu'à la fin de la guerre, mais c'était sans compter sur le pire élément de la maisonnée : le fils Fernand. Elle le savait au fond de son être, un jour il lui ferait mal, comme les affreux bonshommes qui avaient profité de Fantine dans Les Misérables.

Décidé, c'est décidé : ce soir elle part ! Sa valise bouclée, elle attend sur le bord de son lit que toute la famille soit bien endormie. Enfin vers 23h30, elle descend doucement la petite échelle en bois qui relie le premier étage au grenier. Elle se faufile sans faire de bruit devant la chambre de Roger et Josette, rassurée par le ronflement sonore du cocher. En quelques minutes, elle se retrouve en bas, dans la salle à manger, ouvre délicatement la porte d'entrée qu'elle referme avec précaution derrière elle. La nuit est encore humide, de ces grosses chaleurs d'été qui n'en finissent pas. Elle s'éloigne prudemment de la ferme de quelques mètres puis se met a courir. Enfin libre ! Après quelques centaines de mètres, elle s'arrête, en sueur et essoufflée, pour se reposer contre un grand platane qui borde la route départementale.

C'est à ce moment que l'improbable, l'incroyable, l'inexplicable se produit ! Elle entend la sirène du village voisin retentir. Elle sait que c'est l'annonce d'un bombardement imminent. Elle se cache immédiatement dans le fossé qui borde la route. Au bout de quelques minutes, elle distingue nettement les lumières des canons anti aériens pointés vers le ciel. Elle perçoit distinctement le grondement des avions qui se rapprochent, le crépitement des canons anti aériens de la *Flak*. Elle discerne maintenant les éclairs des bombes qui commencent à illuminer l'horizon. Et ces grandes lueurs rouges et vertes* qui tombent des bombardiers. Elle frissonne mais ne peut s'empêcher de regarder ce spectacle dantesque qui lui rappelle les feux d'artifice auxquels elle assistait avec ses parents avant la guerre. Enfin, elle voit devant ses yeux se produire l'impensable : la ferme qu'elle vient de quitter depuis à peine une demi-heure explose devant ses yeux. Une énorme détonation lui broie les oreilles, puis de gigantesques flammes engouffrent la bâtisse. Une bombe est tombée directement sur la tête de Roger, Josette et Fernand...

Gisèle n'en revient pas, elle est sidérée. Comment les Alliés ont-il su qu'elle s'enfuirait cette nuit-là et qu'il fallait mettre fin aux agissements de Fernand ? Jean Valjean existe donc ! Il serait même pilote dans un bombardier de la Royal Air Force...

** Les bombardements de nuit étaient toujours le fait des Britanniques. Ceux-ci utilisaient de gros feux de Bengale verts et rouges pour "illuminer" leur cible et améliorer la précision des bombardements.*

A partir de septembre 1943, la Gestapo réquisitionna l'hôtel Excelsior situé à proximité de la gare PLM pour le convertir en lieu d'internement. On évalue à 2 500 le nombres de Juifs internés ici avant leur départ pour le camp de Drancy en région parisienne.

Chapitre 13
Le miraculé de Nice - 28 août 1944 - *Daniel*

Daniel est très affaibli. Il a perdu une vingtaine de kilos. Dire que les derniers mois ont été éprouvants est un euphémisme... Il n'est aujourd'hui que l'ombre de lui-même. Accroupi au fond de sa cellule de l'hôtel Excelsior transformé en prison par les Allemands, il attend la mort patiemment. Il est résigné. Ce matin, il s'est réveillé au son des mitraillettes. Quelque chose doit se passer dehors ! Par la lucarne, il aperçoit les véhicules blindés des Allemands roulant dans tous les sens. Tout à coup, la porte s'ouvre violemment.

Un soldat allemand rentre en trombe et s'empare de lui : « *Schnell, schnell !* » hurle-t-il, « *Wir müssen gehen !* ». Il le fait descendre quatre à quatre les escaliers puis le pousse vers la grande cour d'entrée. Le soleil d'août l'éblouit et il se retrouve au milieu d'une dizaine de ses compagnons d'infortune, regroupés sous le regard menaçant de deux soldats allemands. Il est poussé avec la plus grande brusquerie vers un camion pour y monter ! Ca y est, se dit-il. C'est la fin. Comme les autres, il va être fusillé. Il n'a plus la force de résister. C'est bien dommage de mourir après tant de mois de souffrance, en un si beau jour d'été ! Mais vivre, il ne veut plus ! Ces derniers mois aux portes de l'enfer ont été insupportables!

Tout avait pourtant bien commencé depuis son arrivée à Nice, en septembre 1942. Malgré la mélancolie de sa mère, il avait passé de douces journées avec son frère à se balader sur la *Promenade des Anglais* ou à se prélasser à la plage. Il avait même fait quelques rencontres agréables, les filles sont si jolies et charmantes sur la côte d'Azur. Mais à partir de septembre 1943, tout s'était gâté. Sentant l'étau nazi se refermer sur eux, Isaac avait décidé d'éparpiller la famille. La pauvre petite Gisèle avait été envoyée dans un couvent. Michel et lui avaient intégré le collège catholique de Don Bosco au centre ville, non loin de leur appartement de la rue de la Buffa. Il avait de nouveaux papiers, il s'appelait Daniel Guilbert et avait toujours été catholique.

Son séjour à Don Bosco n'avait pas été très long car quelques semaines après avoir intégré l'institution, ses oreilles avaient étrangement commencé à le faire souffrir, et c'est peut-être ce qui lui avait valu de survivre jusqu'ici. En effet, mi-novembre, de son lit de l'infirmerie où il se morfondait, sonné par la douleur qui lui perçait les tympans et la fièvre qui le submergeait, il avait entendu les cris stridents de ses camarades, juifs comme lui, qui étaient embarqués par la Milice. Ces salauds avaient ratissé toutes les classes mais par miracle avaient omis de visiter l'infirmerie. Qu'était-il arrivé à son frère Michel, il n'en avait aucune idée ? En fin de journée, le père en charge du collège Don Bosco, terrorisé par cette rafle avait demandé que Daniel soit transféré à l'hôpital St-Roch.

Et cela aussi lui avait sauvé la vie ! Car à peine arrivé à l'hôpital, il avait été pris en charge par une sainte, une vraie sainte : la sœur Anne-Marie qui s'était prise d'affection pour ce beau jeune homme aux oreilles si endolories. Elle avait compris au bout de quelques jours que Daniel souffrait d'un mal beaucoup plus profond qu'une simple otite. La fièvre était persistante et des gonflements rouges et extrêmement douloureux étaient apparus derrière ses oreilles. Anne-Marie avait alerté le Dr Lapouze, chef du service, et ensemble, ils avaient établi le bon diagnostic : Daniel souffrait d'une mastoïdite aigüe et il fallait l'opérer d'urgence afin d'évacuer le pus qui s'était accumulé, sinon il risquait une infection généralisée qui le tuerait en quelques jours.

Malgré les restrictions qui rendaient difficile l'approvisionnement en compresses et désinfectants, le Dr Lapouze (un saint homme aussi, celui-là !) ne pouvait se résoudre à laisser mourir un si beau jeune homme. Il l'avait donc opéré, incisant profondément les gonflements derrière les oreilles et curant du mieux possible toutes les poches de pus. Tout cela avec une anesthésie plus que sommaire. Daniel avait dû serrer entre ses dents un chiffon mouillé pour étouffer ses cris de douleur. En fin d'opération, il avait fini par défaillir et perdre connaissance. A son réveil, la sœur Anne-Marie était à ses côtés, lui épongeant le front avec tendresse. Il avait tout de suite remarqué que les douleurs auriculaires avaient fortement diminué et il remerciait le ciel de lui avoir envoyé ces deux anges gardiens qui venaient de le sauver. Pendant les semaines qui suivirent, il reprit lentement des forces, la fièvre disparut totalement au bout de deux semaines. Il était encore très affaibli et avait du mal à recouvrer une audition tout à fait normale, mais il se sentait mieux et adorait les soins que lui prodiguait régulièrement sœur Anne-Marie. Il se sentait à l'abri ici, à l'hôpital, loin de la Milice et des Allemands. Il était tourmenté, angoissé pour son frère Michel. Qu'était-il devenu ? Avait-il été raflé ou s'était-il comme lui échappé ? Impossible de le savoir ? Et de son lit d'hôpital, malgré des moments d'effroi soudain, que pouvait-il faire ?

La sœur Anne-Marie avait compris assez vite que Daniel était juif, et elle s'était mis en tête de le protéger. Quand au bout d'un mois, Daniel fut en mesure de se lever, de marcher et avait recouvré une bonne partie de son audition, un petit miracle en soi tant l'opération qu'il avait subie était importante et risquée, elle lui souffla à l'oreille qu'il ne devait pas sortir de l'hôpital St-Roch. « C'est bien trop dangereux pour vous, à l'extérieur ! Il faut vous faire plus malade que vous n'êtes en ce moment, vous pourrez ainsi rester et je m'occuperai de vous ». Daniel s'était laissé convaincre sans peine : paraître malade n'était pas difficile, vu les rations rachitiques auxquelles il avait droit, en général une soupe de topinambours chaque soir. Il avait les joues creuses et avait perdu plus de vingt kilos. Et puis, rester auprès de sœur Anne-Marie était agréable. Bien que son attachement ne fût que platonique, il adorait écouter sa petite voix légèrement chantante et contempler ses grands yeux en amande.

Cette petite mascarade dura presque cinq mois, avec la complicité passive du Dr Lapouze qui fermait les yeux. Daniel aurait pu attendre la fin de la guerre ainsi, s'il n'y avait pas eu l'intervention du diable personnifié, une fille de salle qui venait d'être affectée à son bâtiment en février 1944. Etait-ce la jalousie de voir sœur Anne-Marie éprise d'un beau jeune homme qui jouait la comédie, ou tout simplement la méchanceté pure qui quelques fois habite l'être humain et le pousse à voir dans la dénonciation de l'autre une manière d'affirmer son pouvoir ? En tout état de cause, cette jeune fille de salle aux airs mal dégrossis et au regard mauvais, avait décidé qu'elle ne supportait plus Daniel, ce petit Juif, qui se prétendait malade.

C'est ainsi que le cinq mars 1944, alors que Daniel faisait sa promenade matinale dans les jardins de l'hôpital, devisant gaiement avec sœur Anne-Marie, deux Traction Citroën s'étaient arrêtées devant le perron de l'établissement. Dix agents de la Gestapo en étaient sortis puis, après s'être rendu au premier étage, étaient revenus dans les jardins, suivant la fameuse fille de salle qui leur indiqua Daniel en le pointant du doigt. Il aurait pu s'enfuir à ce moment-là, courir dans les rues de Nice et peut-être semer la Gestapo. Mais à quoi bon, s'était-il dit ? Où irait-il ? Où étaient maintenant son frère, sa sœur, ses parents ?

Malgré les cris de sœur Anne-Marie, il n'offrit aucune résistance et menottes aux poignets, il fut jeté sans ménagement dans une des Traction avant. Le trajet ne fut pas très long jusqu'à l'hôtel Excelsior, transformé en prison par la Gestapo et la Milice. Il fut tout d'abord conduit au premier étage pour être violemment interrogé. Assis sur une chaise, les mains liées derrière le dos, une lampe axée sur la figure, il rencontra la brutalité pure. Deux miliciens, aveuglés par la haine antisémite, s'acharnèrent sur lui pendant plusieurs heures. L'un d'entre eux dégaina son « Lüger », suprême cadeau des autorités allemandes aux miliciens méritants, et le lui posa sur la tempe pendant plusieurs longues, interminables minutes. Pourquoi finirent-ils par le laisser tranquille ? Il n'en sait rien. C'était peut-être grâce à l'ultime subterfuge qu'il avait concocté pendant son transport de l'hôpital à l'hôtel Excelsior. Puisqu'il avait été opéré d'une mastoïdite aigüe, et cela tout le monde le savait, il avait décidé de devenir sourd. Ainsi, il ne pouvait répondre aux questions imbéciles de ces chiens assoiffés de sang. L'avaient-ils cru ? Peut-être pas, mais ils avaient fini par se lasser et après de longues heures d'interrogatoire qui ne donnaient rien ils l'avaient jeté dans une petite cellule située dans les mansardes de l'hôtel.

Une nouvelle partie de sa vie s'ouvrit alors. C'était comme cette " *Porte de l'Enfer* ", vision d'épouvante qu'avait retranscrite avec tant de génie le sculpteur Rodin dont il allait, avant la guerre, admirer les magnifiques sculptures dans les jardins du musée du même nom, près des Invalides. Ici, c'était l'antichambre de la mort. Ses camarades de cellule s'appelaient Bruno Ratti, Sergio, des communistes et des Juifs comme lui qui, il l'apprendrait vite, servaient d'otages à la Gestapo. Ainsi Bruno Ratti qui lui chantait avec passion « *O Sole Mio* » avait été embarqué un soir de mai pour être fusillé le lendemain avec dix autres « communistes » en représailles à un attentat contre la voiture d'un officier allemand la veille.

Oui, depuis mars, Daniel est bel et bien à la porte de l'enfer! Aujourd'hui, alors qu'on va l'embarquer dans ce camion bâché pour rejoindre à l'évidence le peloton d'exécution, se sent comme presque soulagé... La *Porte de l'Enfer* va s'ouvrir... la nuit va le prendre... il ne souffrira plus... Enfin !

Mais c'est sans compter sur sa bonne étoile qui le protège depuis si longtemps. Au moment où le camion s'apprête à démarrer, une voiture s'interpose brutalement : ce sont les FFI qui sont en train de libérer Nice – ceci, il ne l'apprendra que plus tard – et qui ont décidé d'en finir avec l'hôtel Excelsior. Les armes claquent, les Allemands s'affolent, on hurle de partout. Daniel, en un éclair, se dit que c'est le moment. Il saute du camion, se faufile dans la cohue, défie par miracle les balles qui sifflent de toutes parts et se réfugie sous une porte cochère à deux pas de l'Excelsior. Après de longues minutes d'attente prostrée, Daniel jette un coup d'oeil. Aucun soldat allemand, pas de milicien, personne pour courir dans sa direction. Tous doivent encore être trop occupés à défendre leur peau face aux résistants qui ont vraiment l'air décidés à en découdre. Explosions, hurlements, le combat fait rage. Daniel rassemble alors toutes ses forces et se met à courir le long de l'avenue Durante, courir vers la liberté.

Oui la *Porte de l'Enfer* s'est refermée, mais pas sur lui. Au terme d'une course effrénée, Daniel s'assoit sur un banc. Face à la mer. Libre, il est libre !

Chapitre 14
Mai 2011 – L'interview pour le Yad Vachem

La lumière est crue. Daniel visiblement tendu, un petit micro accroché à son pull rouge, est assis dans son canapé, chez lui dans sa maison du kibboutz Regavim, non loin de Césarée en Israël. L'interview télévisée peut commencer. En français, le journaliste, dont on n'entend que la voix, lui confirme calmement que cette interview sera déposée au Yad Vachem. Pour que la mémoire des survivants de l'Holocauste ne s'éteigne pas.

Daniel a eu du mal à se laisser convaincre mais il sait qu'il se doit maintenant, à quatre-vingt cinq ans, d'expliquer ce qu'il a vécu pour que l'inadmissible, l'indescriptible, l'indicible ne se reproduise plus. Les mots viennent doucement dans la bouche de Daniel : « *Mon père était venu en France en 1900 de Roumanie et en 1925, il y a eu un arrangement avec ma mère...* » Peu à peu, au fil du récit, la lente remontée des souvenirs s'opère.

Tout d'abord, la mémoire de sa grand-mère Jeanne déportée en 1942. Tout le monde avait pensé qu'elle reviendrait, mais après des mois d'attente à l'hôtel Lutetia et les témoignages déchirants des « zombies » qui revenaient des camps, il avait bien fallu se rendre à l'évidence qu'elle ne reviendrait jamais. Ils apprirent bien plus tard qu'elle était morte dans le train qui la conduisait à Auschwitz en septembre 1942. Ensuite le souvenir de son frère et de sa sœur, qui s'étaient cachés pendant les derniers mois de la guerre et étaient sortis de leurs abris hagards. Michel n'avait pas pu terminer ses études et était parti travailler sur une plate-forme pétrolière. La petite Gisèle avait perdu toute confiance dans l'humanité et avait passé la plupart de ses journées en 1945 à l'hôtel Lutetia, dans l'attente hypothétique du retour de sa grand-mère adorée. Quand elle quittait ce lieu spectral, c'était pour déambuler au hasard dans Paris. Sans but, sans raison, l'errance. Renouer avec le sens des choses... Souvent, elle se retrouvait devant un stand de foire, aux autos tamponneuses. Comme c'était bon de jouer ainsi. S'amuser. Rire.

Sa mère Marguerite avait pratiquement perdu la parole, les mots s'étaient noyés dans son chagrin. Heureusement son père Isaac, battant comme à son habitude, avait trouvé la force de continuer. Il était retourné rue du Cambodge et avait découvert son appartement vidé et saccagé. Le gouvernement français, en dédommagement, lui avait proposé un bel appartement haussmannien, mais il avait refusé et avait réintégré leur petit appartement près de la place Gambetta. Il avait aussi réussi à récupérer et rouvrir sa boutique d'horlogerie bijouterie « Au Cadran » rue Vieille du Temple. Il avait bien sûr pris Daniel avec qui il avait travaillé jusqu'à son décès au début des années soixante.

C'était alors, que ce dernier, anéanti par la disparition de son père qui était son seul soutien moral, encouragé par Gisèle, avait décidé d'émigrer en Israël. Il s'était établi dans le kibboutz Regavim exploité par des Juifs séfarades francophones et avait appris la culture des avocats, l'élevage des poulets, la fabrication de petits jouets en plastique.

Le kibboutz l'avait sauvé! La vie en communauté, les travaux manuels, la défense de ce jeune pays offrant un asile pérenne aux Juifs, avaient redonné un sens à son existence, à tout jamais broyée par son « expérience » à l'hôtel Excelsior de Nice. Il y avait rencontré sa femme Léa, une juive marocaine fière et courageuse qui en 1981 lui avait donné une fille qu'ils appelèrent Gali.

Quant à sa sœur Gisèle, qui avait péniblement repris le chemin de l'école, elle eu la chance de rencontrer sur la *Promenade des Anglais* en 1953 l'homme de sa vie, un beau jeune homme originaire du nord de la France, Albert, dont elle était tombée follement amoureuse. Cette union miraculeuse l'avait reconstruite et deux magnifiques enfants en étaient issus, Gilles en 1959 et Isabelle* en 1964.

* *Épouse de l'auteur.*

Son frère Michel, lui, avait continué sa vie de Juif errant et de célibataire endurci. Il avait parcouru le monde, de la France en Argentine en passant par Israël. Où qu'il fût, il trouvait toujours un travail, des missions de technicien sur des chantiers difficiles mais très rémunérateurs.

Les questions du journaliste se font plus précises. « *Quand avez vous ressenti pour la première fois l'antisémitisme en France ? Comment avez vous résisté aux miliciens pendant votre interrogatoire à l'hôtel Excelsior ?* » Daniel répond, avec plus ou moins d'aisance. Après plus de deux heures, il est heureux que l'interview se termine. Il ressent la fatigue. Mais ses mots sont là : il a survécu et voilà qu'il vient de léguer son épouvantable expérience. Chacun maintenant saura.

Épilogue
Un samedi de juillet

Nous avons réuni toute notre famille dans une villa de Césarée, en Israël, sur les bords de la Méditerranée. Le temps est magnifique et le grand déjeuner préparé autour de la piscine s'annonce excellent. Tout le monde est réuni, toutes les lignées, toutes les générations...

Et surtout les anciens, les cousins, grandes figures de ce livre : Daniel 86 ans accompagné de son épouse Léa, de sa fille, de sa belle fille et de ses petits-enfants, Zelma 87 ans, accompagnée de ses enfants et de son cousin Daniel Hollander.

Tous deux ont une démarche lente, frêles, courbés. Je les assieds à l'ombre près de la piscine et les invite à faire connaissance pour la première fois. Car ils ne se sont jamais rencontrés. Je leur parle de mon projet de biographie familiale et de mon intention de m'atteler cette année à son écriture. Je les interroge sur les quelques "blancs" que j'ai encore dans l'histoire que je vais raconter. Avec enthousiasme, ils essaient de retrouver des détails oubliés. Ils s'aperçoivent, bouleversés, que leurs aventures sont étonnamment parallèles. Ils se sourient, s'apprécient. C'était il y a plus de 70 ans...

Les cris des adolescents qui s'ébrouent dans la piscine résonnent.

Daniel et Zelma, merci de m'avoir fait confiance en me confiant vos secrets. J'espère que vous serez touchés par ces quelques pages d'Histoire. Votre histoire ! Je suis fier que mes enfants soient vos descendants.

Merci.

Que sont-ils devenus ?

Les différents lecteurs des premières versions du manuscrit, au-delà des merveilleux encouragements qu'ils m'ont donnés et du partage des émotions ressenties, m'ont tous indiqué qu'il serait utile de donner un éclairage sur les personnages et leur destinée à la suite de ce drame. Cher lecteur, je vous livre donc quelques clés. Voici ce qu'ils sont devenus.

Famille Englander

▪ **Renée** était ma mère. Disparue prématurément à l'âge de quarante et un ans, elle m'avait demandé d'écrire ce livre. Elle est restée cachée dans un couvent de mi 1943 à mi 1944. Après la guerre, elle a survécu tant bien que mal à cette tragédie en compagnie de son grand frère Henri et de sa mère Anna. Elle a réussi à se concentrer sur ses études et a retrouvé son appartement de la rue de Saintonge. En 1957, elle a rencontré mon père, Lucien Besnainou, fraîchement arrivé de sa Tunisie natale pour faire des études de médecine. Ils se sont mariés en 1959 et je suis né de leur union en 1963.

▪ **Henri** est mon oncle, le frère de Renée. Après une carrière de médecin généraliste, il vit maintenant, retraité à Paris. J'ai pu l'interviewer en 1998 mais depuis cette date, il ne souhaite plus parler de cette époque. Au-delà de l'interview, j'ai pu retracer son histoire grâce aux écrits de son épouse Ginette et de l'autobiographie que Monseigneur Puech a publié. Henri a fait nommer ce dernier « Juste parmi les nations » et on en trouve trace sur la page Internet suivante : http://www.afmd-allier.com/PBCPPlayer.asp?ID=554407.

▪ **Anna** était ma grand-mère. Elle a survécu tant bien que mal après la guerre grâce à ses travaux de couture. Elle est décédée à Paris au début des années 1990. Je l'ai donc bien connue. Elle avait un fort accent allemand, était d'une grande douceur avec moi, et me régalait de ses fameux « *potatoes latkes* », les gâteaux aux pommes de terres. Elle touchait une petite pension en Deutschemarks du gouvernement allemand, je pense en réparation du vol et pillage de l'immeuble des Holzer à Mannheim. Nous n'avons malheureusement jamais eu l'occasion de parler ensemble de la guerre.

■ **Jacob** était mon grand-père. Après son arrestation à Castelnaudary, il fut transféré à la prison de Carcassonne puis à Drancy d'où il fut déporté par le convoi n°68 du 10 février 1944 et gazé à Auschwitz à l'âge de cinquante et un an. Évidemment, comme le veut la tradition dans les familles juives, c'est de lui que je tiens mon prénom.

■ **Zelma** est la cousine de ma mère. Elle a survécu pendant la guerre dans le sud-ouest de la France et a bien connu ma mère vers la fin de la guerre. Elle a décidé d'immigrer en Israël en 1948. Elle vit toujours à Tel-Aviv et a écrit un court récit en allemand sur ce qu'elle et son mari ont vécu pendant la guerre.

■ Les sœurs et frères d'Anna ont aujourd'hui tous disparu. Voici leur destin par ordre de naissance :

a. **Samuel** et sa famille ont été conduits dans le ghetto de Bochnia en Pologne près de Krakow où ils résidaient. Sa fille a été forcée de se prostituer et s'est suicidée. Il a essayé de rejoindre avec son fils la Résistance mais a été arrêté et exécuté.

b. **Akiva** et son épouse ont été internés dans le camp de concentration de Plaszow en Pologne près de Krakow où ils résidaient. Ils sont tous deux décédés de dysenterie.

c. **Elsa**, la mère de Zelma, a immigré avec son mari en Israël. Ils y ont vécu une existence tranquille et heureuse et sont décédés dans les années quatre-vingt.

d. **Regina** a été déportée de France par le convoi n°34 le 18 septembre 1942 et gazée à Auschwitz à l'âge de quarante ans. Sa fille Ruth handicapée de naissance aurait survécu et aurait été placée dans une institution belge après la guerre. Je n'ai jamais pu retrouver sa trace.

e. **Marie** a immigré en Israël et y a vécu une existence paisible jusqu'à son décès dans les années quatre-vingt.

f. **Hélène** est restée en France pendant quelques années après la guerre mais a elle aussi finalement immigré en Israël et y a vécu une existence paisible jusqu'à son décès dans les années quatre-vingt.

g. **Moritz** a immigré aux États-Unis juste avant la guerre et y a vécu une existence paisible jusqu'à son décès au début des années deux mille. Je l'ai bien connu vers la fin de ses jours car ayant perdu sa femme et n'ayant pas d'enfants, il n'avait plus que moi comme membre de famille résidant aux USA. Pour cause de sénilité, il avait été placé sous tutelle par l'état de New-York. Avec l'aide de mon oncle Henri, j'ai pu le faire sortir de l'horrible institution où il avait été enfermé afin qu'il coule ses derniers jours dans une belle maison de retraite de New-York City. Je me souviendrai toute ma vie de la façon dont il m'a serré dans les bras quand je suis venu l'extirper du mouroir où il se morfondait. Il m'a reconnu tout de suite alors que le juge des tutelles m'avait assuré qu'il avait perdu la mémoire.

■ **Wolf** et **Hendel Holzer** mes arrière-grands-parents ont été expulsés de Mannheim en 1939 par les Nazis vers Krakow car considérés comme Polonais. Ils ont été sauvagement gazés dans un camion ou un wagon de train.

Famille Silberman

■ **Gisèle** était la mère de mon épouse Isabelle. Elle est décédée d'un cancer du sein en 2001. Je l'ai très bien connue et l'ai interviewée en détail en 1998. Après avoir échappé par miracle au bombardementde la ferme de Roger, elle est allée retrouver son oncle Georges à Tours qui la plaça dans un vignoble où elle travailla aux vendanges jusqu'à la libération. Elle aimait la vie et était très fière de ses enfants qui avaient réussi leurs études au-delà de ses espérances.

■ **Daniel**, son frère, vit en Israël dans le kibboutz Regavim depuis les années soixante. Je lui parle souvent au téléphone, et il a eu l'occasion de lire les ébauches de ce livre. Après avoir échappé de justesse des mains de la Gestapo grâce à la libération de Nice par la Résistance française, il a réussi à retrouver ses parents, cachés chez un ami à Nice. Il ne comprend toujours pas aujourd'hui comment il a pu survivre à son internement de l'hôtel Excelsior.

■ **Michel**, son autre frère, s'est calfeutré dans les toilettes pendant la rafle du collège Don Bosco. Il s'est enfui et a réussi à se cacher dans Nice chez l'habitant jusqu'à la Libération. Il vit maintenant à Bruxelles j'ai eu le grand bonheur de l'interviewer par téléphone en 2014, discussion pendant laquelle il m'a donné de nombreux détails, dont il n'avait jamais parlé jusqu'ici.

■ Les parents de Gisèle, **Isaac et Marguerite**, se sont cachés à Nice chez des amis jusqu'à la Libération. Ils sont ensuite retournés à Paris où Isaac a pu reprendre sa boutique. Marguerite est décédée au milieu des années cinquante et Isaac au début des années soixante.

■ Enfin, la grand-mère adorée de Gisèle, **Jeanne** a été déportée vers Auschwitz par le convoi n°35 au départ de Pithiviers le 21 septembre 1942 et serait décédée pendant le voyage à l'âge de soixante-sept ans.

Annexes et documents

Transcription des cartes de Madame Jeanne Elias

Les mots illisibles sont indiqués par (...)

Carte du 1er août 1942

Ma chère Margot,
Après une attente assez longue pour venir vous voir, j'ai voulu profiter d'un bon tuyau et passer. Prise à 10 m de la démarcation, j'ai été prise. Me voilà donc là, je ne sais pas jusqu'à quand, cela me tuera, car je crois ne pas pouvoir le supporter et quoi faire, je ne sais pas ce qu'ils feront de nous. Nous étions 30 personnes, femmes, enfants (...) avec moi, c'est elle qui avait le passeur, et presque toutes les familles qui (...) affronter la frontière en payant très cher, restent en panne. C'est en ce moment que de là-bas du (...), tu peux l'imaginer mon enfant, dans quel état je suis. Je voudrais que tu t'organises pour m'envoyer un colis, mais attends car je dois changer d'endroit. Je te le ferai savoir et tu l'enverras par express car il n'y a absolument rien à manger. Je ne sais quand je pourrai te revoir. Je vous embrasse bien fort, votre mère. Dis à ma petite Gisèle (...) que je l'embrasse.

Maison d'arrêt Angoulême, Section allemande, Charente

Carte du 4 août 1942

Ma chère petite Margot,
Tu as sans doute reçu ma carte où je te dis le malheur qui m'arrive, surtout que je ne sais quand ce sera fini. Il n'y a pas plus de considération pour les français ou gens âgés. Nous devons être déplacer du camp ou je suis pour aller à Drancy. Tu te rends compte de ma vie, moi qui redoutait ca, il faut que je passe par là et tu sais, c'est épouvantable. Nous sommes absolument campés sur de la paille. Je ne peux plus remuer tellement j'ai mal aux reins et quoi faire. J'ai demandé chez Beaurepaire* qu'ils écrivent à Caullet de ma part une recommandation car c'est français et Drancy. Aussi tache de le faire

** « Beaurepaire » désigne la rue de Paris où réside Madame Blum, l'amie de confiance des Silberman.*

toi-même par un moyen quelconque. Il n'est pas possible que cela dure trop longtemps. J'aimerais (...) ma détresse. Ne m'écris pas ici, je t'écrirai lorsque je serai fixée ou je serai. As-tu reçu le colis express avec (...) ? Bons baisers à tous, ta mère.

CDR route de Limoges, Poitiers, Charente

Carte du 18 août 1942

Ma chère Enfant, seulement aujourd'hui je peux t'écrire. 1 fois tous les 15 jours avec droit à un colis que tu devras me confectionner le mieux possible. Tu dois mettre sur le colis cette adresse IJIF, 20 bd de Belleville, Paris. A remettre à Mme Elias, Camp Drancy, Bloc 3, Chambre 4. Mets-moi à manger le plus que tu pourras, car j'ai faim. Demande à ton entourage de t'aider et surtout écris à Simon mon cas et dis-lui qu'il n'oublie pas sa tante. Tu peux mettre quelques tomates pas trop mûres, olives, fromages, fruits, conserves, etc.

J'ai reçu un petit colis de Beaurepaire et des vêtements et je l'ai chargé de correspondre avec toi. Après avoir par elle de vos nouvelles car on a pas droit à la réponse par zone libre. Alors (...) Entretemps (...) sur les colis sont à deux en 15 jours et elle pourra avec la (...) correspondante (...) avoir des détails sur nous. Je ne peux même pas écrire à Georges et cependant, il doit me faire une course dans les parages (...) qu'il faut que je le charge, mais il faut que ceci soit sous enveloppe, alors il n'y a que Beaurepaire qui pourra le faire. Je voulais charger Léonie mais il paraît qu'elle est au même point que moi, ce n'est pas drôle. Tu peux m'envoyer un petit mandat de 50 F pour mes menus frais car on m'a tout pris mon argent. Ceci, tu peux l'envoyer ici directement. Surtout entretiens-toi avec Mme Blum et fais ce que je te dis. Ne m'oublie pas, tu peux dire à Georges de me joindre à ton colis une boîte de beurre stérilisé qu'il m'avait (...) Tu (...) enverrai par petite quantité dans tes envois soit directement soit par l'intermédiaire de Beaurepaire.

Je suis en ce moment à l'infirmerie. J'ai été si malade après cette catastrophe. On a cru que je faisais une congestion pulmonaire, et maintenant cela va un peu mieux. On me fait des massages. J'ai beaucoup de tension et d'une maigreur inouïe ! Je pèse 50 kg. Tout cela dépend de mes soucis, enfin je suis bien malheureuse. Quelle catastrophe pour moi ! Marthe est avec moi, je crois te l'avoir dit. Je ne peux m'étendre et j'espère te revoir bientôt. Ce que je te demande et surtout de vos nouvelles. Je pleure tous les jours, d'être loin de ma famille, moi qui me réjouissais de venir me reposer (...) et surtout que doit dire ma petite Gisèle. Je dois lui manquer (...)

Bloc III, Chambre 4, 3e étage, Camp Drancy, Seine

Dernier message de Jeanne rapporté par Mme Blum
le 27 septembre 1942

Deux mots pour vous dire que je change d'endroit pour une station inconnue. Ne soyez pas inquiet si vous ne recevez pas de lettre pendant un certain temps – prévenez mes enfants et tout mon entourage – sitôt que je pourrais, je vous enverrais un mot. Je suis dans le plus grand chagrin et bien malheureuse que l'on s'occupe sérieusement de moi. Embrassez bien tous les miens et prévenez Margot au plus tôt. Je crois que je deviens folle. Il y a de quoi. N'envoyez rien jusqu'à nouvel ordre. On a libéré jusqu'à 70 ans – Malheureusement, j'en ai que 68. Que Georges se démène, je l'en supplie. Votre bonne amie et mère.

La ligne de démarcation

La ligne de démarcation est une frontière partageant la France en deux parties : la zone nord et la zone sud. Cette ligne partait de la frontière suisse en passant par Dole, Chalon-sur-Saône, Digoin, Paray-le-Monial, Moulins, Vierzon, Angoulême, Langon, Mont-de-Marsan, Saint-Jean-Pied-de-Port pour rejoindre la frontière espagnole. Il n'était possible de franchir légalement la ligne de démarcation qu'en obtenant très difficilement un *Ausweis* (carte d'identité) ou un *Passierschein* (laissez-passer) auprès des autorités d'occupation après maintes formalités. Cette ligne disparaîtra après l'occupation de la zone sud par les Allemands en novembre 1942. (source Wikipedia)

La France en 1942, avec les principales villes citées dans cet ouvrage.

A propos de l'auteur

Jacques Besnainou est ingénieur diplômé de l'École polytechnique et de l'École des Mines de Paris.

En 1993, Jacques a quitté la France pour les USA où il a créé une société de conseil en environnement. Après l'avoir vendue en 2000, il a rejoint le groupe nucléaire AREVA, où il a occupé plusieurs fonctions dans le top management.

Aujourd'hui, Jacques vit à Washington D.C. avec son épouse Isabelle et ses trois enfants David, Sarah et Judith.

Table des matières

COMEVER - DE RAMEAU
BP 90044
F-76240 LE MESNIL ESNARD (France)
www.derameau.com
contact : derameau@comever.com

Cet ouvrage a été publié en septembre 2014
par COMEVER - DE RAMEAU, siège social : 11 rue du Donjon, F-76000 ROUEN

Imprimé en UE / République tchèque - Dépôt légal 4e trimestre 2014